L'ÉTRANGER

ŒUVRES D'ALBERT CAMUS

Récits-Nouvelles :

L'ÉTRANGER.   LA CHUTE.
LA PESTE.   L'EXIL ET LE ROYAUME.
LA MORT HEUREUSE (Cahiers Albert Camus, nº 1).

Essais :

NOCES.
LE MYTHE DE SISYPHE.
LETTRES A UN AMI ALLEMAND.
ACTUELLES (Chroniques 1944-1948).
ACTUELLES II (Chroniques 1948-1953).
CHRONIQUES ALGÉRIENNES, 1939-1958 (Actuelles III).
L'HOMME RÉVOLTÉ.
L'ÉTÉ.
L'ENVERS ET L'ENDROIT.
DISCOURS DE SUÈDE.
CARNETS I (mai 1935 - février 1942).
CARNETS II (janvier 1942 - mars 1951).

Théâtre :

CALIGULA.   LE MALENTENDU.
L'ÉTAT DE SIÈGE.   LES JUSTES.

Adaptations et Traductions :

LES ESPRITS, de Pierre de Larivey.
LA DÉVOTION A LA CROIX, de Pedro Calderon de la Barca.
REQUIEM POUR UNE NONNE, de William Faulkner.
LES POSSÉDÉS, d'après le roman de Dostoïevski.
LE CHEVALIER D'OLMEDO, de Lope de Vega.

•

THÉATRE, RÉCITS, NOUVELLES. Préface de Jean Grenier, textes établis et annotés par Roger Quilliot (*Bibliothèque de la Pléiade*).

ESSAIS. Introduction par Roger Quilliot. Textes établis et annotés par Roger Quilliot et Louis Faucon (*Bibliothèque de la Pléiade*).

Dans Le Livre de Poche :

LA PESTE.
CALIGULA *suivi de* LE MALENTENDU.
NOCES *suivi de* L'ÉTÉ.
LA CHUTE.
L'EXIL ET LE ROYAUME.

ALBERT CAMUS

L'étranger

ROMAN

GALLIMARD

PREMIÈRE PARTIE

I

AUJOURD'HUI, maman est morte. Ou peut-être hier, je ne sais pas. J'ai reçu un télégramme de l'asile : « Mère décédée. Enterrement demain. Sentiments distingués. » Cela ne veut rien dire. C'était peut-être hier.

L'asile de vieillards est à Marengo, à quatre-vingts kilomètres d'Alger. Je prendrai l'autobus à deux heures et j'arriverai dans l'après-midi. Ainsi, je pourrai veiller et je rentrerai demain soir. J'ai demandé deux jours de congé à mon patron et il ne pouvait pas me les refuser avec une excuse pareille. Mais il n'avait pas l'air content. Je lui ai même dit : « Ce n'est pas de ma faute. » Il n'a pas répondu. J'ai pensé alors que je n'aurais pas dû lui dire cela. En somme, je n'avais pas à

m'excuser. C'était plutôt à lui de me présen-
ter ses condoléances. Mais il le fera sans doute
après-demain, quand il me verra en deuil.
Pour le moment, c'est un peu comme si
maman n'était pas morte. Après l'enterrement, au contraire, ce sera une affaire classée et tout aura revêtu une allure plus offi-
cielle.

J'ai pris l'autobus à deux heures. Il faisait
très chaud. J'ai mangé au restaurant, chez
Céleste, comme d'habitude. Ils avaient tous
beaucoup de peine pour moi et Céleste m'a
dit : « On n'a qu'une mère. » Quand je suis
parti, ils m'ont accompagné à la porte. J'étais
un peu étourdi parce qu'il a fallu que je
monte chez Emmanuel pour lui emprunter
une cravate noire et un brassard. Il a perdu
son oncle, il y a quelques mois.

J'ai couru pour ne pas manquer le départ.
Cette hâte, cette course, c'est à cause de tout
cela sans doute, ajouté aux cahots, à l'odeur
d'essence, à la réverbération de la route et
du ciel, que je me suis assoupi. J'ai dormi
pendant presque tout le trajet. Et quand je
me suis réveillé, j'étais tassé contre un mili-

taire qui m'a souri et qui m'a demandé si je
venais de loin. J'ai dit « oui » pour n'avoir
plus à parler.

L'asile est à deux kilomètres du village.
J'ai fait le chemin à pied. J'ai voulu voir
maman tout de suite. Mais le concierge m'a
dit qu'il fallait que je rencontre le directeur.
Comme il était occupé, j'ai attendu un peu
Pendant tout ce temps, le concierge a parlé
et ensuite, j'ai vu le directeur : il m'a reçu
dans son bureau. C'est un petit vieux, avec la
Légion d'honneur. Il m'a regardé de ses yeux
clairs. Puis il m'a serré la main qu'il a gar-
dée si longtemps que je ne savais trop comment la retirer. Il a consulté un dossier et
m'a dit : « Mme Meursault est entrée ici il
y a trois ans. Vous étiez son seul soutien. »
J'ai cru qu'il me reprochait quelque chose
et j'ai commencé à lui expliquer. Mais il
m'a interrompu : « Vous n'avez pas à vous
justifier, mon cher enfant. J'ai lu le dossier
de votre mère. Vous ne pouviez subvenir à
ses besoins. Il lui fallait une garde. Vos
salaires sont modestes. Et tout compte fait,
elle était plus heureuse ici. » J'ai dit : « Oui,

monsieur le Directeur. » Il a ajouté : « Vous savez, elle avait des amis, des gens de son âge. Elle pouvait partager avec eux des intérêts qui sont d'un autre temps. Vous êtes jeune et elle devait s'ennuyer avec vous. »

C'était vrai. Quand elle était à la maison, maman passait son temps à me suivre des yeux en silence. Dans les premiers jours où elle était à l'asile, elle pleurait souvent. Mais c'était à cause de l'habitude. Au bout de quelques mois, elle aurait pleuré si on l'avait retirée de l'asile. Toujours à cause de l'habitude. C'est un peu pour cela que dans la dernière année je n'y suis presque plus allé. Et aussi parce que cela me prenait mon dimanche — sans compter l'effort pour aller à l'autobus, prendre des tickets et faire deux heures de route.

Le directeur m'a encore parlé. Mais je ne l'écoutais presque plus. Puis il m'a dit : « Je suppose que vous voulez voir votre mère. » Je me suis levé sans rien dire et il m'a précédé vers la porte. Dans l'escalier, il m'a expliqué : « Nous l'avons transportée dans notre petite morgue. Pour ne pas impression-

ner les autres. Chaque fois qu'un pensionnaire meurt, les autres sont nerveux pendant
deux ou trois jours. Et ça rend le service difficile. » Nous avons traversé une cour où il y
avait beaucoup de vieillards, bavardant par
petits groupes. Ils se taisaient quand nous
passions. Et derrière nous, les conversations
reprenaient. On aurait dit d'un jacassement
assourdi de perruches. A la porte d'un petit
bâtiment, le directeur m'a quitté : « Je
vous laisse, monsieur Meursault. Je suis à
votre disposition dans mon bureau. En principe, l'enterrement est fixé à dix heures du
matin. Nous avons pensé que vous pourrez
ainsi veiller la disparue. Un dernier mot :
votre mère a, paraît-il, exprimé souvent à ses
compagnons le désir d'être enterrée religieu-
sement. J'ai pris sur moi de faire le nécessaire. Mais je voulais vous en informer. » Je
l'ai remercié. Maman, sans être athée, n'avait
jamais pensé de son vivant à la religion.

Je suis entré. C'était une salle très claire,
blanchie à la chaux et recouverte d'une verrière. Elle était meublée de chaises et de
chevalets en forme de X. Deux d'entre eux,

au centre, supportaient une bière recouverte
de son couvercle. On voyait seulement des vis
brillantes, à peine enfoncées, se détacher sur
les planches passées au brou de noix. Près de
la bière, il y avait une infirmière arabe en
sarrau blanc, un foulard de couleur vive sur
la tête.

A ce moment, le concierge est entré derrière mon dos. Il avait dû courir. Il a bégayé
un peu : « On l'a couverte, mais je dois
dévisser la bière pour que vous puissiez la
voir. » Il s'approchait de la bière quand je
l'ai arrêté. Il m'a dit : « Vous ne voulez
pas? » J'ai répondu : « Non. » Il s'est interrompu et j'étais gêné parce que je sentais
que je n'aurais pas dû dire cela. Au bout
d'un moment, il m'a regardé et il m'a
demandé : « Pourquoi? » mais sans reproche,
comme s'il s'informait. J'ai dit : « Je ne sais
pas. » Alors, tortillant sa moustache blanche,
il a déclaré sans me regarder : « Je com-
prends. » Il avait de beaux yeux, bleu clair,
et un teint un peu rouge. Il m'a donné une
chaise et lui-même s'est assis un peu en
arrière de moi. La garde s'est levée et s'est

dirigée vers la sortie. A ce moment, le concierge m'a dit : « C'est un chancre qu'elle a. » Comme je ne comprenais pas, j'ai regardé l'infirmière et j'ai vu qu'elle portait sous les yeux un bandeau qui faisait le tour de la tête. A la hauteur du nez, le bandeau était plat. On ne voyait que la blancheur du bandeau dans son visage.

Quand elle est partie, le concierge a parlé : « Je vais vous laisser seul. » Je ne sais pas quel geste j'ai fait, mais il est resté, debout derrière moi. Cette présence dans mon dos me gênait. La pièce était pleine d'une belle lumière de fin d'après-midi. Deux frelons bourdonnaient contre la verrière. Et je sentais le sommeil me gagner. J'ai dit au concierge, sans me retourner vers lui : « Il y a longtemps que vous êtes là? » Immédiatement il a répondu : « Cinq ans » — comme s'il avait attendu depuis toujours ma demande.

Ensuite, il a beaucoup bavardé. On l'aurait bien étonné en lui disant qu'il finirait concierge à l'asile de Marengo. Il avait soixante-quatre ans et il était Parisien. A ce moment je l'ai interrompu : « Ah! vous n'êtes pas d'ici? » Puis je me suis souvenu qu'avant de me conduire chez le directeur, il m'avait parlé de maman. Il m'avait dit qu'il fallait l'enterrer très vite, parce que dans la plaine il faisait chaud, surtout dans ce pays. C'est alors qu'il m'avait appris qu'il avait vécu à Paris et qu'il avait du mal à l'oublier. A Paris, on reste avec le mort trois, quatre jours quelquefois. Ici on n'a pas le temps, on ne s'est pas fait à l'idée que déjà il faut courir derrière le corbillard. Sa femme lui avait dit alors : « Tais-toi, ce ne sont pas des choses à raconter à monsieur. » Le vieux avait rougi et s'était excusé. J'étais intervenu pour dire : « Mais non. Mais non. » Je trouvais ce qu'il racontait juste et intéressant.

Dans la petite morgue, il m'a appris qu'il était entré à l'asile comme indigent. Comme il se sentait valide, il s'était proposé pour cette place de concierge. Je lui ai fait remarquer qu'en somme il était un pensionnaire. Il m'a dit que non. J'avais déjà été frappé par la façon qu'il avait de dire : « ils », « les autres », et plus rarement « les vieux », en parlant des pensionnaires dont certains

n'étaient pas plus âgés que lui. Mais naturellement, ce n'était pas la même chose. Lui
était concierge, et, dans une certaine mesure,
il avait des droits sur eux.

La garde est entrée à ce moment. Le soir
était tombé brusquement. Très vite, la nuit
s'était épaissie au-dessus de la verrière. Le
concierge a tourné le commutateur et j'ai été
aveuglé par l'éclaboussement soudain de la
lumière. Il m'a invité à me rendre au réfec-
toire pour dîner. Mais je n'avais pas faim. Il
m'a offert alors d'apporter une tasse de café
au lait. Comme j'aime beaucoup le café au
lait, j'ai accepté et il est revenu un moment
après avec un plateau. J'ai bu. J'ai eu alors
envie de fumer. Mais j'ai hésité parce que je
ne savais pas si je pouvais le faire devant
maman. J'ai réfléchi, cela n'avait aucune
importance. J'ai offert une cigarette au
concierge et nous avons fumé.

A un moment, il m'a dit : « Vous savez, les
amis de madame votre mère vont venir la
veiller aussi. C'est la coutume. Il faut que
j'aille chercher des chaises et du café noir. » Je
lui ai demandé si on pouvait éteindre une des

lampes. L'éclat de la lumière sur les murs
blancs me fatiguait. Il m'a dit que ce n'était
pas possible. L'installation était ainsi faite :
c'était tout ou rien. Je n'ai plus beaucoup
fait attention à lui. Il est sorti, est revenu, a
disposé des chaises. Sur l'une d'elles, il a
empilé des tasses autour d'une cafetière. Puis
il s'est assis en face de moi, de l'autre côté de
maman. La garde était aussi au fond, le dos
tourné. Je ne voyais pas ce qu'elle faisait.
Mais au mouvement de ses bras, je pouvais
croire qu'elle tricotait. Il faisait doux, le café
m'avait réchauffé et par la porte ouverte
entrait une odeur de nuit et de fleurs. Je
crois que j'ai somnolé un peu.

C'est un frôlement qui m'a réveillé. D'avoir
fermé les yeux, la pièce m'a paru encore plus
éclatante de blancheur. Devant moi, il n'y
avait pas une ombre et chaque objet, chaque
angle, toutes les courbes se dessinaient avec
une pureté blessante pour les yeux. C'est à
ce moment que les amis de maman sont
entrés. Ils étaient en tout une dizaine, et ils
glissaient en silence dans cette lumière aveuglante. Ils se sont assis sans qu'aucune chaise

grinçât. Je les voyais comme je n'ai jamais vu
personne et pas un détail de leurs visages ou
de leurs habits ne m'échappait. Pourtant je
ne les entendais pas et j'avais peine à croire à
leur réalité. Presque toutes les femmes por-
taient un tablier et le cordon qui les serrait à
la taille faisait encore ressortir leur ventre
bombé. Je n'avais encore jamais remarqué à
quel point les vieilles femmes pouvaient avoir
du ventre. Les hommes étaient presque tous
très maigres et tenaient des cannes. Ce qui
me frappait dans leurs visages, c'est que je ne
voyais pas leurs yeux, mais seulement une
lueur sans éclat au milieu d'un nid de rides.
Lorsqu'ils se sont assis, la plupart m'ont
regardé et ont hoché la tête avec gêne, les
lèvres toutes mangées par leur bouche sans
dents, sans que je puisse savoir s'ils me
saluaient ou s'il s'agissait d'un tic. Je crois
plutôt qu'ils me saluaient. C'est à ce moment
que je me suis aperçu qu'ils étaient tous assis
en face de moi à dodeliner de la tête, autour
du concierge. J'ai eu un moment l'impression
ridicule qu'ils étaient là pour me juger.

Peu après, une des femmes s'est mise à

pleurer. Elle était au second rang, cachée par
une de ses compagnes, et je la voyais mal.
Elle pleurait à petits cris, régulièrement : il
me semblait qu'elle ne s'arrêterait jamais. Les
autres avaient l'air de ne pas l'entendre. Ils
étaient affaissés, mornes et silencieux. Ils
regardaient la bière ou leur canne, ou n'importe quoi, mais ils ne regardaient que cela.
La femme pleurait toujours. J'étais très
étonné parce que je ne la connaissais pas.
J'aurais voulu ne plus l'entendre. Pourtant je
n'osais pas le lui dire. Le concierge s'est penché vers elle, lui a parlé, mais elle a secoué la
tête, a bredouillé quelque chose, et a continué de pleurer avec la même régularité. Le
concierge est venu alors de mon côté. Il s'est
assis près de moi. Après un assez long
moment, il m'a renseigné sans me regarder :
« Elle était très liée avec madame votre mère.
Elle dit que c'était sa seule amie ici et que
maintenant elle n'a plus personne. »

Nous sommes restés un long moment ainsi.
Les soupirs et les sanglots de la femme se faisaient plus rares. Elle reniflait beaucoup. Elle
s'est tue enfin. Je n'avais plus sommeil, mais

j'étais fatigué et les reins me faisaient mal. A
présent c'était le silence de tous ces gens qui
m'était pénible. De temps en temps seulement, j'entendais un bruit singulier et je ne
pouvais comprendre ce qu'il était. A la
longue, j'ai fini par deviner que quelques-
uns d'entre les vieillards suçaient l'intérieur
de leurs joues et laissaient échapper ces clap-
pements bizarres. Ils ne s'en apercevaient pas
tant ils étaient absorbés dans leurs pensées.
J'avais même l'impression que cette morte,
couchée au milieu d'eux, ne signifiait rien à
leurs yeux. Mais je crois maintenant que
c'était une impression fausse.

Nous avons tous pris du café, servi par le
concierge. Ensuite, je ne sais plus. La nuit a
passé. Je me souviens qu'à un moment j'ai
ouvert les yeux et j'ai vu que les vieillards
dormaient tassés sur eux-mêmes, à l'exception
d'un seul qui, le menton sur le dos de ses
mains agrippées à la canne, me regardait fixe-
ment comme s'il n'attendait que mon réveil.
Puis j'ai encore dormi. Je me suis réveillé
parce que j'avais de plus en plus mal aux
reins. Le jour glissait sur la verrière. Peu

après, l'un des vieillards s'est réveillé et il a beaucoup toussé. Il crachait dans un grand mouchoir à carreaux et chacun de ses crachats était comme un arrachement. Il a réveillé les autres et le concierge a dit qu'ils devraient partir. Ils se sont levés. Cette veille incommode leur avait fait des visages de cendre. En sortant, et à mon grand étonnement, ils m'ont tous serré la main — comme si cette nuit où nous n'avions pas échangé un mot avait accru notre intimité.

J'étais fatigué. Le concierge m'a conduit chez lui et j'ai pu faire un peu de toilette. J'ai encore pris du café au lait qui était très bon. Quand je suis sorti, le jour était complètement levé. Au-dessus des collines qui séparent Marengo de la mer, le ciel était plein de rougeurs. Et le vent qui passait au-dessus d'elles apportait ici une odeur de sel. C'était une belle journée qui se préparait. Il y avait longtemps que j'étais allé à la campagne et je sentais quel plaisir j'aurais pris à me promener s'il n'y avait pas eu maman.

Mais j'ai attendu dans la cour, sous un platane. Je respirais l'odeur de la terre fraîche

et je n'avais plus sommeil. J'ai pensé aux collègues du bureau. A cette heure, ils se
levaient pour aller au travail : pour moi
c'était toujours l'heure la plus difficile. J'ai
encore réfléchi un peu à ces choses, mais j'ai
été distrait par une cloche qui sonnait à l'intérieur des bâtiments. Il y a eu du remue-
ménage derrière les fenêtres, puis tout s'est
calmé. Le soleil était monté un peu plus dans
le ciel : il commençait à chauffer mes pieds.
Le concierge a traversé la cour et m'a dit que
le directeur me demandait. Je suis allé dans
son bureau. Il m'a fait signer un certain
nombre de pièces. J'ai vu qu'il était habillé
de noir avec un pantalon rayé. Il a pris le
téléphone en main et il m'a interpellé : « Les
employés des pompes funèbres sont là depuis
un moment. Je vais leur demander de venir
fermer la bière. Voulez-vous auparavant voir
votre mère une dernière fois? » J'ai dit non.
Il a ordonné dans le téléphone en baissant la
voix : « Figeac, dites aux hommes qu'ils
peuvent aller. »

Ensuite il m'a dit qu'il assisterait à l'enterrement et je l'ai remercié. Il s'est assis

derrière son bureau, il a croisé ses petites jambes. Il m'a averti que moi et lui serions seuls, avec l'infirmière de service. En principe, les pensionnaires ne devaient pas assister aux enterrements. Il les laissait seulement veiller : « C'est une question d'humanité », a-t-il remarqué. Mais en l'espèce, il avait accordé l'autorisation de suivre le convoi à un vieil ami de maman : « Thomas Pérez. » Ici, le directeur a souri. Il m'a dit : « Vous comprenez, c'est un sentiment un peu puéril. Mais lui et votre mère ne se quittaient guère. A l'asile, on les plaisantait, on disait à Pérez : « C'est votre fiancée. » Lui riait. Ça leur faisait plaisir. Et le fait est que la mort de Mme Meursault l'a beaucoup affecté. Je n'ai pas cru devoir lui refuser l'autorisation. Mais sur le conseil du médecin visiteur, je lui ai interdit la veillée d'hier. »

Nous sommes restés silencieux assez longtemps. Le directeur s'est levé et a regardé par la fenêtre de son bureau. A un moment, il a observé : « Voilà déjà le curé de Marengo. Il est en avance. » Il m'a prévenu qu'il faudrait au moins trois quarts d'heure de marche pour

aller à l'église qui est au village même. Nous
sommes descendus. Devant le bâtiment. il y
avait le curé et deux enfants de chœur. L'un
de ceux-ci tenait un encensoir et le prêtre se
baissait vers lui pour régler la longueur de la
chaîne d'argent. Quand nous sommes arrivés,
le prêtre s'est relevé. Il m'a appelé « mon
fils » et m'a dit quelques mots. Il est entré;
je l'ai suivi.

J'ai vu d'un coup que les vis de la bière
étaient enfoncées et qu'il y avait quatre
hommes noirs dans la pièce. J'ai entendu en
même temps le directeur me dire que la voiture attendait sur la route et le prêtre commencer ses prières. A partir de ce moment,
tout est allé très vite. Les hommes se sont
avancés vers la bière avec un drap. Le prêtre,
ses suivants, le directeur et moi-même sommes
sortis. Devant la porte, il y avait une dame
que je ne connaissais pas : « M. Meursault »,
a dit le directeur. Je n'ai pas entendu le nom
de cette dame et j'ai compris seulement
qu'elle était infirmière déléguée. Elle a
incliné sans un sourire son visage osseux et
long. Puis nous nous sommes rangés pour lais-

ser passer le corps. Nous avons suivi les por-
teurs et nous sommes sortis de l'asile. Devant
la porte, il y avait la voiture. Vernie,
oblongue et brillante, elle faisait penser à un
plumier. A côté d'elle, il y avait l'ordonna-
teur, petit homme aux habits ridicules, et un
vieillard à l'allure empruntée. J'ai compris
que c'était M. Pérez. Il avait un feutre mou
à la calotte ronde et aux ailes larges (il l'a
ôté quand la bière a passé la porte), un costume dont le pantalon tirebouchonnait sur
les souliers et un nœud d'étoffe noire trop
petit pour sa chemise à grand col blanc. Ses
lèvres tremblaient au-dessous d'un nez truffé
de points noirs. Ses cheveux blancs assez fins
laissaient passer de curieuses oreilles ballantes
et mal ourlées dont la couleur rouge sang
dans ce visage blafard me frappa. L'ordon-
nateur nous donna nos places. Le curé marchait en avant, puis la voiture. Autour d'elle,
les quatre hommes. Derrière, le directeur,
moi-même et, fermant la marche, l'infirmière
déléguée et M. Pérez.

Le ciel était déjà plein de soleil. Il commençait à peser sur la terre et la chaleur aug-

mentait rapidement. Je ne sais pas pourquoi
nous avons attendu assez longtemps avant de
nous mettre en marche. J'avais chaud sous
mes vêtements sombres. Le petit vieux, qui
s'était recouvert, a de nouveau ôté son chapeau. Je m'étais un peu tourné de son côté,
et je le regardais lorsque le directeur m'a
parlé de lui. Il m'a dit que souvent ma mère
et M. Pérez allaient se promener le soir jusqu'au village, accompagnés d'une infirmière.
Je regardais la campagne autour de moi. A
travers les lignes de cyprès qui menaient aux
collines près du ciel, cette terre rousse et
verte, ces maisons rares et bien dessinées, je
comprenais maman. Le soir, dans ce pays, devait être comme une trêve mélancolique.
Aujourd'hui, le soleil débordant qui faisait
tressaillir le paysage le rendait inhumain et
déprimant.

Nous nous sommes mis en marche. C'est à
ce moment que je me suis aperçu que Pérez
claudiquait légèrement. La voiture, peu à
peu, prenait de la vitesse et le vieillard per-
dait du terrain. L'un des hommes qui entou-
raient la voiture s'était laissé dépasser aussi

et marchait maintenant à mon niveau. J'étais
surpris de la rapidité avec laquelle le soleil
montait dans le ciel. Je me suis aperçu qu'il
y avait déjà longtemps que la campagne bourdonnait du chant des insectes et de crépite-
ments d'herbe. La sueur coulait sur mes
joues. Comme je n'avais pas de chapeau, je
m'éventais avec mon mouchoir. L'employé
des pompes funèbres m'a dit alors quelque
chose que je n'ai pas entendu. En même
temps, il s'essuyait le crâne avec un mouchoir qu'il tenait dans sa main gauche, la
main droite soulevant le bord de sa casquette.
Je lui ai dit : « Comment? » Il a répété en
montrant le ciel : « Ça tape. » J'ai dit :
« Oui. » Un peu après, il m'a demandé :
« C'est votre mère qui est là? » J'ai encore
dit : « Oui. » « Elle était vieille? » J'ai
répondu : « Comme ça », parce que je ne savais pas le chiffre exact. Ensuite, il s'est tu.
Je me suis retourné et j'ai vu le vieux Pérez
à une cinquantaine de mètres derrière nous.
Il se hâtait en balançant son feutre à bout de
bras. J'ai regardé aussi le directeur. Il marchait avec beaucoup de dignité, sans un geste

inutile. Quelques gouttes de sueur perlaient sur son front, mais il ne les essuyait pas.

Il me semblait que le convoi marchait un peu plus vite. Autour de moi, c'était toujours la même campagne lumineuse gorgée de soleil. L'éclat du ciel était insoutenable. A un moment donné, nous sommes passés sur une partie de la route qui avait été récemment refaite. Le soleil avait fait éclater le goudron. Les pieds y enfonçaient et laissaient ouverte sa pulpe brillante. Au-dessus de la voiture, le chapeau du cocher, en cuir bouilli, semblait avoir été pétri dans cette boue noire. J'étais un peu perdu entre le ciel bleu et blanc et la monotonie de ces couleurs, noir gluant du goudron ouvert, noir terne des habits, noir laqué de la voiture. Tout cela, le soleil, l'odeur de cuir et de crottin de la voiture, celle du vernis et celle de l'encens, la fatigue d'une nuit d'insomnie, me troublait le regard et les idées. Je me suis retourné une fois de plus : Pérez m'a paru très loin, perdu dans une nuée de chaleur, puis je ne l'ai plus aperçu. Je l'ai cherché du regard et j'ai vu qu'il avait quitté la route et pris à travers

champs. J'ai constaté aussi que devant moi la
route tournait. J'ai compris que Pérez qui
connaissait le pays coupait au plus court pour
nous rattraper. Au tournant il nous avait
rejoints. Puis nous l'avons perdu. Il a repris
encore à travers champs et comme cela plusieurs fois. Moi, je sentais le sang qui me
battait aux tempes.

Tout s'est passé ensuite avec tant de pré-
cipitation, de certitude et de naturel, que je
ne me souviens plus de rien. Une chose seulement : à l'entrée du village, l'infirmière
déléguée m'a parlé. Elle avait une voix singulière qui n'allait pas avec son visage, une
voix mélodieuse et tremblante. Elle m'a dit :
« Si on va doucement, on risque une inso-
lation. Mais si on va trop vite, on est en
transpiration et dans l'église on attrape un
chaud et froid. » Elle avait raison. Il n'y
avait pas d'issue. J'ai encore gardé quelques
images de cette journée : par exemple, le visage de Pérez quand, pour la dernière fois,
il nous a rejoints près du village. De grosses
larmes d'énervement et de peine ruisselaient
sur ses joues. Mais, à cause des rides, elles ne

s'écoulaient pas. Elles s'étalaient, se rejoi-
gnaient et formaient un vernis d'eau sur ce
visage détruit. Il y a eu encore l'église et les
villageois sur les trottoirs, les géraniums
rouges sur les tombes du cimetière, l'éva-
nouissement de Pérez (on eût dit un pantin
disloqué), la terre couleur de sang qui roulait sur la bière de maman, la chair blanche
des racines qui s'y mêlaient, encore du
monde, des voix, le village, l'attente devant
un café, l'incessant ronflement du moteur, et
ma joie quand l'autobus est entré dans le
nid de lumières d'Alger et que j'ai pensé
que j'allais me coucher et dormir pendant
douze heures.

II

En me réveillant, j'ai compris pourquoi mon
patron avait l'air mécontent quand je lui ai
demandé mes deux jours de congé : c'est
aujourd'hui samedi. Je l'avais pour ainsi dire
oublié, mais en me levant, cette idée m'est
venue. Mon patron, tout naturellement, a
pensé que j'aurais ainsi quatre jours de
vacances avec mon dimanche et cela ne pouvait pas lui faire plaisir. Mais d'une part, ce
n'est pas de ma faute si on a enterré maman
hier au lieu d'aujourd'hui et d'autre part,
j'aurais eu mon samedi et mon dimanche de
toute façon. Bien entendu, cela ne m'em-
pêche pas de comprendre tout de même mon
patron.

J'ai eu de la peine à me lever parce que
j'étais fatigué de ma journée d'hier. Pendant

que je me rasais, je me suis demandé ce que
j'allais faire et j'ai décidé d'aller me baigner.
J'ai pris le tram pour aller à l'établissement
de bains du port. Là, j'ai plongé dans la
passe. Il y avait beaucoup de jeunes gens. J'ai
retrouvé dans l'eau Marie Cardona, une ancienne dactylo de mon bureau dont j'avais eu
envie à l'époque. Elle aussi, je crois. Mais elle
est partie peu après et nous n'avons pas eu
le temps. Je l'ai aidée à monter sur une
bouée et, dans ce mouvement, j'ai effleuré
ses seins. J'étais encore dans l'eau quand
elle était déjà à plat ventre sur la bouée. Elle
s'est retournée vers moi. Elle avait les cheveux dans les yeux et elle riait. Je me suis
hissé à côté d'elle sur la bouée. Il faisait bon
et, comme en plaisantant, j'ai laissé aller ma
tête en arrière et je l'ai posée sur son ventre.
Elle n'a rien dit et je suis resté ainsi. J'avais
tout le ciel dans les yeux et il était bleu et
doré. Sous ma nuque, je sentais le ventre de
Marie battre doucement. Nous sommes restés
longtemps sur la bouée, à moitié endormis.
Quand le soleil est devenu trop fort, elle a
plongé et je l'ai suivie. Je l'ai rattrapée, j'ai

passé ma main autour de sa taille et nous avons nagé ensemble. Elle riait toujours. Sur le quai, pendant que nous nous séchions, elle m'a dit : « Je suis plus brune que vous. » Je lui ai demandé si elle voulait venir au cinéma, le soir. Elle a encore ri et m'a dit qu'elle avait envie de voir un film avec Fernandel. Quand nous nous sommes rhabillés, elle a eu l'air très surprise de me voir avec une cravate noire et elle m'a demandé si j'étais en deuil. Je lui ai dit que maman était morte. Comme elle voulait savoir depuis quand, j'ai répondu : « Depuis hier. » Elle a eu un petit recul, mais n'a fait aucune remarque. J'ai eu envie de lui dire que ce n'était pas de ma faute, mais je me suis arrêté parce que j'ai pensé que je l'avais déjà dit à mon patron. Cela ne signifiait rien. De toute façon, on est toujours un peu fautif.

Le soir, Marie avait tout oublié. Le film était drôle par moments et puis vraiment trop bête. Elle avait sa jambe contre la mienne. Je lui caressais les seins. Vers la fin de la séance, je l'ai embrassée, mais mal. En sortant, elle est venue chez moi.

Quand je me suis réveillé, Marie était partie. Elle m'avait expliqué qu'elle devait aller chez sa tante. J'ai pensé que c'était dimanche et cela m'a ennuyé : je n'aime pas le dimanche. Alors, je me suis retourné dans mon lit, j'ai cherché dans le traversin l'odeur de sel que les cheveux de Marie y avaient laissée et j'ai dormi jusqu'à dix heures. J'ai fumé ensuite des cigarettes, toujours couché, jusqu'à midi. Je ne voulais pas déjeuner chez Céleste comme d'habitude parce que, certainement, ils m'auraient posé des questions et je n'aime pas cela. Je me suis fait cuire des œufs et je les ai mangés à même le plat, sans pain parce que je n'en avais plus et que je ne voulais pas descendre pour en acheter.

Après le déjeuner, je me suis ennuyé un peu et j'ai erré dans l'appartement. Il était commode quand maman était là. Maintenant il est trop grand pour moi et j'ai dû transporter dans ma chambre la table de la salle à manger. Je ne vis plus que dans cette pièce, entre les chaises de paille un peu creusées, l'armoire dont la glace est jaunie, la table de toilette et le lit de cuivre. Le reste est à l'abandon. Un peu plus tard, pour faire quelque chose, j'ai pris un vieux journal et je l'ai lu. J'y ai découpé une réclame des sels Kruschen et je l'ai collée dans un vieux cahier où je mets les choses qui m'amusent dans les journaux. Je me suis aussi lavé les mains et, pour finir, je me suis mis au balcon.

Ma chambre donne sur la rue principale du faubourg. L'après-midi était beau. Cependant, le pavé était gras, les gens rares et pressés encore. C'étaient d'abord des familles allant en promenade, deux petits garçons en costume marin, la culotte au-dessous du genou, un peu empêtrés dans leurs vêtements raides, et une petite fille avec un gros nœud rose et des souliers noirs vernis. Derrière eux, une mère énorme, en robe de soie marron, et le père, un petit homme assez frêle que je connais de vue. Il avait un canotier, un nœud papillon et une canne à la main. En le voyant avec sa femme, j'ai compris pourquoi dans le quartier on disait de lui qu'il était distingué. Un peu plus tard passèrent les jeunes gens du faubourg,

cheveux laqués et cravate rouge, le veston
très cintré, avec une pochette brodée et des
souliers à bouts carrés. J'ai pensé qu'ils
allaient aux cinémas du centre. C'était pourquoi ils partaient si tôt et se dépêchaient
vers le tram en riant très fort.

Après eux, la rue peu à peu est deve-
nue déserte. Les spectacles étaient partout
commencés, je crois. Il n'y avait plus dans la
rue que les boutiquiers et les chats. Le ciel
était pur mais sans éclat au-dessus des ficus
qui bordent la rue. Sur le trottoir d'en face,
le marchand de tabac a sorti une chaise, l'a
installée devant sa porte et l'a enfourchée en
s'appuyant des deux bras sur le dossier. Les
trams tout à l'heure bondés étaient presque
vides. Dans le petit café : « Chez Pierrot »,
à côté du marchand de tabac, le garçon
balayait de la sciure dans la salle déserte.
C'était vraiment dimanche.

J'ai retourné ma chaise et je l'ai placée
comme celle du marchand de tabac parce
que j'ai trouvé que c'était plus commode.
J'ai fumé deux cigarettes, je suis rentré pour
prendre un morceau de chocolat et je suis

revenu le manger à la fenêtre. Peu après,
le ciel s'est assombri et j'ai cru que nous
allions avoir un orage d'été. Il s'est découvert peu à peu cependant. Mais le passage
des nuées avait laissé sur la rue comme une
promesse de pluie qui l'a rendue plus
sombre. Je suis resté longtemps à regarder
le ciel.

A cinq heures, des tramways sont arrivés
dans le bruit. Ils ramenaient du stade de
banlieue des grappes de spectateurs perchés
sur les marchepieds et les rambardes. Les
tramways suivants ont ramené les joueurs
que j'ai reconnus à leurs petites valises. Ils
hurlaient et chantaient à pleins poumons que
leur club ne périrait pas. Plusieurs m'ont
fait des signes. L'un m'a même crié : « On
les a eus. » Et j'ai fait : « Oui », en secouant
la tête. A partir de ce moment, les autos
ont commencé à affluer.

La journée a tourné encore un peu. Au-
dessus des toits, le ciel est devenu rougeâtre
et, avec le soir naissant, les rues se sont ani-
mées. Les promeneurs revenaient peu à peu.
J'ai reconnu le monsieur distingué au mi-

lieu d'autres. Les enfants pleuraient ou se
laissaient traîner. Presque aussitôt, les cinémas du quartier ont déversé dans la rue un
flot de spectateurs. Parmi eux, les jeunes
gens avaient des gestes plus décidés que
d'habitude et j'ai pensé qu'ils avaient vu un
film d'aventures. Ceux qui revenaient des
cinémas de la ville arrivèrent un peu plus
tard. Ils semblaient plus graves. Ils riaient
encore, mais de temps en temps, ils parais-
saient fatigués et songeurs. Ils sont restés
dans la rue, allant et venant sur le trottoir
d'en face. Les jeunes filles du quartier, en
cheveux, se tenaient par le bras. Les jeunes
gens s'étaient arrangés pour les croiser et ils
lançaient des plaisanteries dont elles riaient
en détournant la tête. Plusieurs d'entre
elles, que je connaissais, m'ont fait des signes.

Les lampes de la rue se sont alors allumées
brusquement et elles ont fait pâlir les premières étoiles qui montaient dans la nuit.
J'ai senti mes yeux se fatiguer à regarder
les trottoirs avec leur chargement d'hommes
et de lumières. Les lampes faisaient luire le
pavé mouillé, et les tramways, à intervalles

réguliers, mettaient leurs reflets sur des cheveux brillants, un sourire ou un bracelet
d'argent. Peu après, avec les tramways plus
rares et la nuit déjà noire au-dessus des arbres
et des lampes, le quartier s'est vidé insensi-
blement, jusqu'à ce que le premier chat tra-
verse lentement la rue de nouveau déserte.
J'ai pensé alors qu'il fallait dîner. J'avais un
peu mal au cou d'être resté longtemps
appuyé sur le dos de ma chaise. Je suis
descendu acheter du pain et des pâtes, j'ai
fait ma cuisine et j'ai mangé debout. J'ai
voulu fumer une cigarette à la fenêtre, mais
l'air avait fraîchi et j'ai eu un peu froid. J'ai
fermé mes fenêtres et en revenant j'ai vu
dans la glace un bout de table où ma lampe
à alcool voisinait avec des morceaux de pain.
J'ai pensé que c'était toujours un dimanche
de tiré, que maman était maintenant enterrée, que j'allais reprendre mon travail et que,
somme toute, il n'y avait rien de changé.

III

AUJOURD'HUI j'ai beaucoup travaillé au bureau. Le patron a été aimable. Il m'a
demandé si je n'étais pas trop fatigué et il
a voulu savoir aussi l'âge de maman. J'ai dit
« une soixantaine d'années », pour ne pas
me tromper et je ne sais pas pourquoi il a
eu l'air d'être soulagé et de considérer que
c'était une affaire terminée.

Il y avait un tas de connaissements qui
s'amoncelaient sur ma table et il a fallu que
je les dépouille tous. Avant de quitter le
bureau pour aller déjeuner, je me suis lavé
les mains. A midi, j'aime bien ce moment.
Le soir, j'y trouve moins de plaisir parce que
la serviette roulante qu'on utilise est tout à
fait humide : elle a servi toute la journée.

J'en ai fait la remarque un jour à mon patron. Il m'a répondu qu'il trouvait cela regrettable, mais que c'était tout de même un détail sans importance. Je suis sorti un peu tard, à midi et demi, avec Emmanuel, qui travaille à l'expédition. Le bureau donne sur la mer et nous avons perdu un moment à regarder les cargos dans le port brûlant de soleil. A ce moment, un camion est arrivé dans un fracas de chaînes et d'explosions. Emmanuel m'a demandé « si on y allait » et je me suis mis à courir. Le camion nous a dépassés et nous nous sommes lancés à sa poursuite. J'étais noyé dans le bruit et la poussière. Je ne voyais plus rien et ne sentais que cet élan désordonné de la course, au milieu des treuils et des machines, des mâts qui dansaient sur l'horizon et des coques que nous longions. J'ai pris appui le premier et j'ai sauté au vol. Puis j'ai aidé Emmanuel à s'asseoir. Nous étions hors de souffle, le camion sautait sur les pavés inégaux du quai, au milieu de la poussière et du soleil. Emmanuel riait à perdre haleine.

Nous sommes arrivés en nage chez Céleste.

Il était toujours là, avec son gros ventre, son tablier et ses moustaches blanches. Il m'a demandé si « ça allait quand même ». Je lui ai dit que oui et que j'avais faim. J'ai mangé très vite et j'ai pris du café. Puis je suis rentré chez moi, j'ai dormi un peu parce que j'avais trop bu de vin et, en me réveillant, j'ai eu envie de fumer. Il était tard et j'ai couru pour attraper un tram. J'ai travaillé tout l'après-midi. Il faisait très chaud dans le bureau et le soir, en sortant, j'ai été heureux de revenir en marchant lentement le long des quais. Le ciel était vert, je me sentais content. Tout de même, je suis rentré directement chez moi parce que je voulais me préparer des pommes de terres bouillies.

En montant, dans l'escalier noir, j'ai heurté le vieux Salamano, mon voisin de palier. Il était avec son chien. Il y a huit ans qu'on les voit ensemble. L'épagneul a une maladie de peau, le rouge, je crois, qui lui fait perdre presque tous ses poils et qui le couvre de plaques et de croûtes brunes. A force de vivre avec lui, seuls tous les deux dans une petite chambre, le vieux Salamano

a fini par lui ressembler. Il a des croûtes
rougeâtres sur le visage et le poil jaune et
rare. Le chien, lui, a pris de son patron une
sorte d'allure voûtée, le museau en avant et
le cou tendu. Ils ont l'air de la même race
et pourtant ils se détestent. Deux fois par
jour, à onze heures et à six heures, le vieux
mène son chien promener. Depuis huit ans,
ils n'ont pas changé leur itinéraire. On peut
les voir le long de la rue de Lyon, le chien
tirant l'homme jusqu'à ce que le vieux Salamano bute. Il bat son chien alors et il l'in-
sulte. Le chien rampe de frayeur et se laisse
traîner. A ce moment, c'est au vieux de le
tirer. Quand le chien a oublié, il entraîne
de nouveau son maître et il est de nouveau
battu et insulté. Alors, ils restent tous les
deux sur le trottoir et ils se regardent, le
chien avec terreur, l'homme avec haine.
C'est ainsi tous les jours. Quand le chien veut
uriner, le vieux ne lui en laisse pas le temps
et il le tire, l'épagneul semant derrière lui
une traînée de petites gouttes. Si par hasard
le chien fait dans la chambre, alors il est encore battu. Il y a huit ans que cela dure.

Céleste dit toujours que « c'est malheureux »,
mais au fond, personne ne peut savoir.
Quand je l'ai rencontré dans l'escalier, Salamano était en train d'insulter son chien. Il
lui disait : « Salaud! Charogne! » et le chien
gémissait. J'ai dit : « Bonsoir », mais le vieux
insultait toujours. Alors je lui ai demandé ce
que le chien lui avait fait. Il ne m'a pas
répondu. Il disait seulement : « Salaud! Charogne! » Je le devinais, penché sur son chien,
en train d'arranger quelque chose sur le collier. J'ai parlé plus fort. Alors sans se retourner, il m'a répondu avec une sorte de rage
rentrée : « Il est toujours là. » Puis il est
parti en tirant la bête qui se laissait traîner
sur ses quatre pattes, et gémissait.

Juste à ce moment est entré mon deuxième
voisin de palier. Dans le quartier, on dit qu'il
vit des femmes. Quand on lui demande son
métier, pourtant, il est « magasinier ». En
général, il n'est guère aimé. Mais il me parle
souvent et quelquefois il passe un moment
chez moi parce que je l'écoute. Je trouve que
ce qu'il dit est intéressant. D'ailleurs, je n'ai
aucune raison de ne pas lui parler. Il s'ap-

pelle Raymond Sintès. Il est assez petit, avec
de larges épaules et un nez de boxeur. Il est
toujours habillé très correctement. Lui aussi
m'a dit, en parlant de Salamano : « Si c'est
pas malheureux! » Il m'a demandé si ça ne
me dégoûtait pas et j'ai répondu que non.

Nous sommes montés et j'allais le quitter
quand il m'a dit : « J'ai chez moi du boudin et du vin. Si vous voulez manger un morceau avec moi?... » J'ai pensé que cela m'évi-
terait de faire ma cuisine et j'ai accepté. Lui
aussi n'a qu'une chambre, avec une cuisine
sans fenêtre. Au-dessus de son lit, il a un
ange en stuc blanc et rose, des photos de
champions et deux ou trois clichés de
femmes nues. La chambre était sale et le lit
défait. Il a d'abord allumé sa lampe à pé-
trole, puis il a sorti un pansement assez
douteux de sa poche et a enveloppé sa main
droite. Je lui ai demandé ce qu'il avait. Il
m'a dit qu'il avait eu une bagarre avec un
type qui lui cherchait des histoires.

« Vous comprenez, monsieur Meursault,
m'a-t-il dit, c'est pas que je suis méchant, mais
je suis vif. L'autre, il m'a dit : « Descends du

tram si tu es un homme. » Je lui ai dit :
« Allez, reste tranquille. » Il m'a dit que je
n'étais pas un homme. Alors je suis descendu
et je lui ai dit : « Assez, ça vaut mieux, ou
je vais te mûrir. » Il m'a répondu : « De
quoi? » Alors je lui en ai donné un. Il est
tombé. Moi, j'allais le relever. Mais il m'a
donné des coups de pied de par terre. Alors
je lui ai donné un coup de genou et deux
taquets. Il avait la figure en sang. Je lui ai
demandé s'il avait son compte. Il m'a dit :
« Oui. »

Pendant tout ce temps, Sintès arrangeait
son pansement. J'étais assis sur le lit. Il m'a
dit : « Vous voyez que je ne l'ai pas cherché.
C'est lui qui m'a manqué. » C'était vrai et
je l'ai reconnu. Alors il m'a déclaré que,
justement, il voulait me demander un conseil
au sujet de cette affaire, que moi, j'étais un
homme, je connaissais la vie, que je pouvais
l'aider et qu'ensuite il serait mon copain. Je
n'ai rien dit et il m'a demandé encore si je
voulais être son copain. J'ai dit que ça m'était
égal : il a eu l'air content. Il a sorti du boudin, il l'a fait cuire à la poêle, et il a installé

des verres, des assiettes, des couverts et deux
bouteilles de vin. Tout cela en silence. Puis
nous nous sommes installés. En mangeant, il
a commencé à me raconter son histoire. Il
hésitait d'abord un peu. « J'ai connu une
dame... c'était pour autant dire ma maîtresse. » L'homme avec qui il s'était battu
était le frère de cette femme. Il m'a dit qu'il
l'avait entretenue. Je n'ai rien répondu et
pourtant il a ajouté tout de suite qu'il savait
ce qu'on disait dans le quartier, mais qu'il
avait sa conscience pour lui et qu'il était
magasinier.

« Pour en venir à mon histoire, m'a-t-il dit,
je me suis aperçu qu'il y avait de la tromperie. » Il lui donnait juste de quoi
vivre. Il payait lui-même le loyer de sa
chambre et il lui donnait vingt francs par
jour pour la nourriture. « Trois cents francs
de chambre, six cents francs de nourriture, une paire de bas de temps en temps,
ça faisait mille francs. Et madame ne travaillait pas. Mais elle me disait que c'était
juste, qu'elle n'arrivait pas avec ce que je lui
donnais. Pourtant, je lui disais : « Pourquoi

« tu travailles pas une demi-journée? Tu me
« soulagerais bien pour toutes ces petites
« choses. Je t'ai acheté un ensemble ce
« mois-ci, je te paye vingt francs par jour, je
« te paye le loyer et toi, tu prends le café
« l'après-midi avec tes amies. Tu leur donnes
« le café et le sucre. Moi, je te donne l'ar-
« gent. J'ai bien agi avec toi et tu me le rends
« mal. » Mais elle ne travaillait pas, elle
disait toujours qu'elle n'arrivait pas et c'est
comme ça que je me suis aperçu qu'il y avait
de la tromperie. »

Il m'a alors raconté qu'il avait trouvé un
billet de loterie dans son sac et qu'elle n'avait
pas pu lui expliquer comment elle l'avait
acheté. Un peu plus tard, il avait trouvé chez
elle « une indication » du mont-de-piété qui
prouvait qu'elle avait engagé deux bracelets.
Jusque-là, il ignorait l'existence de ces bracelets. « J'ai bien vu qu'il y avait de la tromperie. Alors, je l'ai quittée. Mais d'abord, je
l'ai tapée. Et puis, je lui ai dit ses vérités. Je
lui ai dit que tout ce qu'elle voulait, c'était
s'amuser avec sa chose. Comme je lui ai dit,
vous comprenez, monsieur Meursault : « Tu

« ne vois pas que le monde il est jaloux du
« bonheur que je te donne. Tu connaîtras
« plus tard le bonheur que tu avais. »

Il l'avait battue jusqu'au sang. Auparavant,
il ne la battait pas. « Je la tapais, mais ten-
drement pour ainsi dire. Elle criait un peu.
Je fermais les volets et ça finissait comme toujours. Mais maintenant, c'est sérieux. Et pour
moi, je l'ai pas assez punie. »

Il m'a expliqué alors que c'était pour cela
qu'il avait besoin d'un conseil. Il s'est arrêté
pour régler la mèche de la lampe qui char-
bonnait. Moi, je l'écoutais toujours. J'avais
bu près d'un litre de vin et j'avais très chaud
aux tempes. Je fumais les cigarettes de Raymond parce qu'il ne m'en restait plus. Les
derniers trams passaient et emportaient avec
eux les bruits maintenant lointains du faubourg. Raymond a continué. Ce qui l'ennuyait, « c'est qu'il avait encore un sentiment
pour son coït ». Mais il voulait la punir. Il
avait d'abord pensé à l'emmener dans un
hôtel et à appeler les « mœurs » pour causer
un scandale et la faire mettre en carte. Ensuite,
il s'était adressé à des amis qu'il avait dans le

milieu. Ils n'avaient rien trouvé. Et comme me le faisait remarquer Raymond, c'était bien la peine d'être du milieu. Il le leur avait dit et ils avaient alors proposé de la « marquer ». Mais ce n'était pas ce qu'il voulait. Il allait réfléchir. Auparavant il voulait me demander quelque chose. D'ailleurs, avant de me le demander, il voulait savoir ce que je pensais de cette histoire. J'ai répondu que je n'en pensais rien mais que c'était intéressant. Il m'a demandé si je pensais qu'il y avait de la tromperie, et moi, il me semblait bien qu'il y avait de la tromperie, si je trouvais qu'on devait la punir et ce que je ferais à sa place, je lui ai dit qu'on ne pouvait jamais savoir, mais je comprenais qu'il veuille la punir. J'ai encore bu un peu de vin. Il a allumé une cigarette et il m'a découvert son idée. Il voulait lui écrire une lettre « avec des coups de pied et en même temps des choses pour la faire regretter ». Après, quand elle· reviendrait, il coucherait avec elle et « juste au moment de finir » il lui cracherait à la figure et il la mettrait dehors. J'ai trouvé qu'en effet, de cette façon, elle serait punie.

Mais Raymond m'a dit qu'il ne se sentait pas
capable de faire la lettre qu'il fallait et qu'il
avait pensé à moi pour la rédiger. Comme je
ne disais rien, il m'a demandé si cela m'en-
nuierait de le faire tout de suite et j'ai
répondu que non.

Il s'est alors levé après avoir bu un verre
de vin. Il a repoussé les assiettes et le peu de
boudin froid que nous avions laissé. Il a soigneusement essuyé la toile cirée de la table.
Il a pris dans un tiroir de sa table de nuit une
feuille de papier quadrillé, une enveloppe
jaune, un petit porte-plume de bois rouge et
un encrier carré d'encre violette. Quand il
m'a dit le nom de la femme, j'ai vu que c'était
une Mauresque. J'ai fait la lettre. Je l'ai
écrite un peu au hasard, mais je me suis appli-
qué à contenter Raymond parce que je n'avais
pas de raison de ne pas le contenter. Puis j'ai
lu la lettre à haute voix. Il m'a écouté en
fumant et en hochant la tête, puis il m'a
demandé de la relire. Il a été tout à fait
content. Il m'a dit : « Je savais bien que tu
connaissais la vie. » Je ne me suis pas aperçu
d'abord qu'il me tutoyait. C'est seulement

quand il m'a déclaré : « Maintenant, tu es un
vrai copain », que cela m'a frappé. Il a répété
sa phrase et j'ai dit : « Oui. » Cela m'était
égal d'être son copain et il avait vraiment l'air
d'en avoir envie. Il a cacheté la lettre et nous
avons fini le vin. Puis nous sommes restés un
moment à fumer sans rien dire. Au-dehors,
tout était calme, nous avons entendu le glissement d'une auto qui passait. J'ai dit : « Il
est tard. » Raymond le pensait aussi. Il a
remarqué que le temps passait vite et, dans
un sens, c'était vrai. J'avais sommeil, mais
j'avais de la peine à me lever. J'ai dû avoir
l'air fatigué parce que Raymond m'a dit qu'il
ne fallait pas se laisser aller. D'abord, je n'ai
pas compris. Il m'a expliqué alors qu'il avait
appris la mort de maman mais que c'était une
chose qui devait arriver un jour ou l'autre.
C'était aussi mon avis.

Je me suis levé, Raymond m'a serré la
main très fort et m'a dit qu'entre hommes on
se comprenait toujours. En sortant de chez
lui, j'ai refermé la porte et je suis resté un
moment dans le noir, sur le palier. La maison était calme et des profondeurs de la cage

d'escalier montait un souffle obscur et humide. Je n'entendais que les coups de mon sang qui bourdonnait à mes oreilles. Je suis resté immobile. Mais dans la chambre du vieux Salamano, le chien a gémi sourdement.

IV

J'AI bien travaillé toute la semaine. Raymond
est venu et m'a dit qu'il avait envoyé la lettre.
Je suis allé au cinéma deux fois avec Emmanuel qui ne comprend pas toujours ce qui se
passe sur l'écran. Il faut alors lui donner des
explications. Hier, c'était samedi et Marie
est venue, comme nous en étions convenus.
J'ai eu très envie d'elle parce qu'elle avait
une belle robe à raies rouges et blanches et
des sandales de cuir. On devinait ses seins
durs et le brun du soleil lui faisait un visage
de fleur. Nous avons pris un autobus et nous
sommes allés à quelques kilomètres d'Alger,
sur une plage resserrée entre des rochers et
bordée de roseaux du côté de la terre. Le
soleil de quatre heures n'était pas trop chaud,
mais l'eau était tiède, avec de petites vagues

longues et paresseuses. Marie m'a appris un
jeu. Il fallait, en nageant, boire à la crête
des vagues, accumuler dans sa bouche toute
l'écume et se mettre ensuite sur le dos pour
la projeter contre le ciel. Cela faisait alors
une dentelle mousseuse qui disparaissait dans
l'air ou me retombait en pluie tiède sur le
visage. Mais au bout de quelque temps, j'avais
la bouche brûlée par l'amertume du sel.
Marie m'a rejoint alors et s'est collée à moi
dans l'eau. Elle a mis sa bouche contre la
mienne. Sa langue rafraîchissait mes lèvres et
nous nous sommes roulés dans les vagues pendant un moment.

Quand nous nous sommes rhabillés sur la
plage, Marie me regardait avec des yeux brillants. Je l'ai embrassée. A partir de ce
moment, nous n'avons plus parlé. Je l'ai
tenue contre moi et nous avons été pressés de
trouver un autobus, de rentrer, d'aller chez
moi et de nous jeter sur mon lit. J'avais laissé
ma fenêtre ouverte et c'était bon de sentir la
nuit d'été couler sur nos corps bruns.

Ce matin, Marie est restée et je lui ai dit
que nous déjeunerions ensemble. Je suis des-

cendu pour acheter de la viande. En remon-
tant, j'ai entendu une voix de femme dans la
chambre de Raymond. Un peu après, le vieux
Salamano a grondé son chien, nous avons
entendu un bruit de semelles et de griffes sur
les marches en bois de l'escalier et puis :
« Salaud, charogne », ils sont sortis dans la
rue. J'ai raconté à Marie l'histoire du vieux
et elle a ri. Elle avait un de mes pyjamas dont
elle avait retroussé les manches. Quand elle a
ri, j'ai eu encore envie d'elle. Un moment
après, elle m'a demandé si je l'aimais. Je lui
ai répondu que cela ne voulait rien dire, mais
qu'il me semblait que non. Elle a eu l'air
triste. Mais en préparant le déjeuner, et à
propos de rien, elle a encore ri de telle façon
que je l'ai embrassée. C'est à ce moment que
les bruits d'une dispute ont éclaté chez Raymond.

On a d'abord entendu une voix aiguë de
femme et puis Raymond qui disait : « Tu
m'as manqué, tu m'as manqué. Je vais t'ap-
prendre à me manquer. » Quelques bruits
sourds et la femme a hurlé, mais de si terrible façon qu'immédiatement le palier s'est

empli de monde. Marie et moi nous sommes
sortis aussi. La femme criait toujours et Raymond frappait toujours. Marie m'a dit que
c'était terrible et je n'ai rien répondu. Elle
m'a demandé d'aller chercher un agent, mais
je lui ai dit que je n'aimais pas les agents.
Pourtant, il en est arrivé un avec le locataire
du deuxième qui est plombier. Il a frappé à
la porte et on n'a plus rien entendu. Il a
frappé plus fort et au bout d'un moment, la
femme a pleuré et Raymond a ouvert. Il avait
une cigarette à la bouche et l'air doucereux.
La fille s'est précipitée à la porte et a déclaré
à l'agent que Raymond l'avait frappée. « Ton
nom », a dit l'agent. Raymond a répondu.
« Enlève ta cigarette de la bouche quand tu
me parles », a dit l'agent. Raymond a hésité,
m'a regardé et a tiré sur sa cigarette. A ce
moment, l'agent l'a giflé à toute volée d'une
claque épaisse et lourde, en pleine joue. La
cigarette est tombée quelques mètres plus
loin. Raymond a changé de visage, mais il
n'a rien dit sur le moment et puis il a
demandé d'une voix humble s'il pouvait
ramasser son mégot. L'agent a déclaré qu'il

le pouvait et il a ajouté : « Mais la prochaine
fois, tu sauras qu'un agent n'est pas un gui-
gnol. » Pendant ce temps, la fille pleurait et
elle a répété : « Il m'a tapée. C'est un maquereau. » — « Monsieur l'agent, a demandé
alors Raymond, c'est dans la loi, ça, de dire
maquereau à un homme? » Mais l'agent lui a
ordonné « de fermer sa gueule ». Raymond
s'est alors retourné vers la fille et il lui a dit :
« Attends, petite, on se retrouvera. » L'agent
lui a dit de fermer ça, que la fille devait partir et lui rester dans sa chambre en atten-
dant d'être convoqué au commissariat. Il a
ajouté que Raymond devrait avoir honte
d'être soûl au point de trembler comme il le
faisait. A ce moment, Raymond lui a expliqué : « Je ne suis pas soûl, monsieur l'agent.
Seulement, je suis là, devant vous, et je
tremble, c'est forcé. » Il a fermé sa porte et
tout le monde est parti. Marie et moi avons
fini de préparer le déjeuner. Mais elle n'avait
pas faim, j'ai presque tout mangé. Elle est
partie à une heure et j'ai dormi un peu.

Vers trois heures, on a frappé à ma porte
et Raymond est entré. Je suis resté couché. Il

s'est assis sur le bord de mon lit. Il est resté
un moment sans parler et je lui ai demandé
comment son affaire s'était passée. Il m'a
raconté qu'il avait fait ce qu'il voulait mais
qu'elle lui avait donné une gifle et qu'alors
il l'avait battue. Pour le reste, je l'avais vu.
Je lui ai dit qu'il me semblait que maintenant elle était punie et qu'il devait être
content. C'était aussi son avis, et il a observé
que l'agent avait beau faire, il ne changerait
rien aux coups qu'elle avait reçus. Il a ajouté
qu'il connaissait bien les agents et qu'il savait
comment il fallait s'y prendre avec eux. Il
m'a demandé alors si j'avais attendu qu'il
réponde à la gifle de l'agent. J'ai répondu que
je n'attendais rien du tout et que d'ailleurs
je n'aimais pas les agents. Raymond a eu l'air
très content. Il m'a demandé si je voulais sortir avec lui. Je me suis levé et j'ai commencé
à me peigner. Il m'a dit qu'il fallait que je lui
serve de témoin. Moi cela m'était égal, mais
je ne savais pas ce que je devais dire. Selon
Raymond, il suffisait de déclarer que la fille
lui avait manqué. J'ai accepté de lui servir
de témoin.

Nous sommes sortis et Raymond m'a offert une fine. Puis il a voulu faire une partie de billard et j'ai perdu de justesse. Il voulait ensuite aller au bordel, mais j'ai dit non parce que je n'aime pas ça. Alors nous sommes rentrés doucement et il me disait combien il était content d'avoir réussi à punir sa maîtresse. Je le trouvais très gentil avec moi et j'ai pensé que c'était un bon moment.

De loin, j'ai aperçu sur le pas de la porte le vieux Salamano qui avait l'air agité. Quand nous nous sommes rapprochés, j'ai vu qu'il n'avait pas son chien. Il regardait de tous les côtés, tournait sur lui-même, tentait de percer le noir du couloir, marmonnait des mots sans suite et recommençait à fouiller la rue de ses petits yeux rouges. Quand Raymond lui a demandé ce qu'il avait, il n'a pas répondu tout de suite. J'ai vaguement entendu qu'il murmurait : « Salaud, charogne », et il continuait à s'agiter. Je lui ai demandé où était son chien. Il m'a répondu brusquement qu'il était parti. Et puis tout d'un coup, il a parlé avec volubilité : « Je l'ai emmené au Champ de Manœuvres, comme d'habitude. Il y avait

du monde, autour des baraques foraines. Je
me suis arrêté pour regarder « le Roi de
l'Evasion ». Et quand j'ai voulu repartir, il
n'était plus là. Bien sûr, il y a longtemps que
je voulais lui acheter un collier moins grand.
Mais je n'aurais jamais cru que cette charogne pourrait partir comme ça. »

Raymond lui a expliqué alors que le chien
avait pu s'égarer et qu'il allait revenir. Il lui
a cité des exemples de chiens qui avaient fait
des dizaines de kilomètres pour retrouver leur
maître. Malgré cela, le vieux a eu l'air plus
agité. « Mais ils me le prendront, vous comprenez. Si encore quelqu'un le recueillait.
Mais ce n'est pas possible, il dégoûte tout le
monde avec ses croûtes. Les agents le prendront, c'est sûr. » Je lui ai dit alors qu'il
devait aller à la fourrière et qu'on le lui ren-
drait moyennant le paiement de quelques
droits. Il m'a demandé si ces droits étaient
élevés. Je ne savais pas. Alors, il s'est mis en
colère : « Donner de l'argent pour cette charogne. Ah! il peut bien crever! » Et il s'est
mis à l'insulter. Raymond a ri et a pénétré
dans la maison. Je l'ai suivi et nous nous

sommes quittés sur le palier de l'étage. Un moment après, j'ai entendu le pas du vieux et il a frappé à ma porte. Quand j'ai ouvert, il est resté un moment sur le seuil et il m'a dit : « Excusez-moi, excusez-moi. » Je l'ai invité à entrer, mais il n'a pas voulu. Il regardait la pointe de ses souliers et ses mains croûteuses tremblaient. Sans me faire face, il m'a demandé : « Ils ne vont pas me le prendre, dites, monsieur Meursault. Ils vont me le rendre. Ou qu'est-ce que je vais devenir? » Je lui ai dit que la fourrière gardait les chiens trois jours à la disposition de leurs propriétaires et qu'ensuite elle en faisait ce que bon lui semblait. Il m'a regardé en silence. Puis il m'a dit : « Bonsoir. » Il a fermé sa porte et je l'ai entendu aller et venir. Son lit a craqué. Et au bizarre petit bruit qui a traversé la cloison, j'ai compris qu'il pleurait. Je ne sais pas pourquoi j'ai pensé à maman. Mais il fallait que je me lève tôt le lendemain. Je n'avais pas faim et je me suis couché sans dîner.

V

RAYMOND m'a téléphoné au bureau. Il m'a dit qu'un de ses amis (il lui avait parlé de moi) m'invitait à passer la journée de dimanche dans son cabanon, près d'Alger. J'ai répondu que je le voulais bien, mais que j'avais promis ma journée à une amie. Raymond m'a tout de suite déclaré qu'il l'invitait aussi. La femme de son ami serait très contente de ne pas être seule au milieu d'un groupe d'hommes.

J'ai voulu raccrocher tout de suite parce que je sais que le patron n'aime pas qu'on nous téléphone de la ville. Mais Raymond m'a demandé d'attendre et il m'a dit qu'il aurait pu me transmettre cette invitation le soir, mais qu'il voulait m'avertir d'autre chose. Il avait été suivi toute la journée par un groupe d'Arabes parmi lesquels se trouvait le frère de son ancienne maîtresse. « Si tu le vois près de la maison ce soir en rentrant, avertis-moi. » J'ai dit que c'était entendu.

Peu après, le patron m'a fait appeler et, sur le moment, j'ai été ennuyé parce que j'ai pensé qu'il allait me dire de moins téléphoner et de mieux travailler. Ce n'était pas cela du tout. Il m'a déclaré qu'il allait me parler d'un projet encore très vague. Il voulait seulement avoir mon avis sur la question. Il avait l'intention d'installer un bureau à Paris qui traiterait ses affaires sur la place, et directement, avec les grandes compagnies et il voulait savoir si j'étais disposé à y aller. Cela me permettrait de vivre à Paris et aussi de voyager une partie de l'année. « Vous êtes jeune, et il me semble que c'est une vie qui doit vous plaire. » J'ai dit que oui mais que dans le fond cela m'était égal. Il m'a demandé alors si je n'étais pas intéressé par un changement de vie. J'ai répondu qu'on ne changeait jamais de vie, qu'en tout cas toutes se valaient

et que la mienne ici ne me déplaisait pas du
tout. Il a eu l'air mécontent, m'a dit que je
répondais toujours à côté, que je n'avais pas
d'ambition et que cela était désastreux dans
les affaires. Je suis retourné travailler alors.
J'aurais préféré ne pas le mécontenter, mais
je ne voyais pas de raison pour changer ma
vie. En y réfléchissant bien, je n'étais pas
malheureux. Quand j'étais étudiant, j'avais
beaucoup d'ambitions de ce genre. Mais
quand j'ai dû abandonner mes études, j'ai
très vite compris que tout cela était sans
importance réelle.

Le soir, Marie est venue me chercher et
m'a demandé si je voulais me marier avec
elle. J'ai dit que cela m'était égal et que nous
pourrions le faire si elle le voulait. Elle a
voulu savoir alors si je l'aimais. J'ai répondu
comme je l'avais déjà fait une fois, que cela
ne signifiait rien mais que sans doute je ne
l'aimais pas. « Pourquoi m'épouser alors? »
a-t-elle dit. Je lui ai expliqué que cela n'avait
aucune importance et que si elle le désirait,
nous pouvions nous marier. D'ailleurs, c'était
elle qui le demandait et moi je me contentais

de dire oui. Elle a observé alors que le mariage était une chose grave. J'ai répondu : « Non. » Elle s'est tue un moment et elle m'a regardé en silence. Puis elle a parlé. Elle voulait simplement savoir si j'aurais accepté la même proposition venant d'une autre femme, à qui je serais attaché de la même façon. J'ai dit : « Naturellement. » Elle s'est demandé alors si elle m'aimait et moi, je ne pouvais rien savoir sur ce point. Après un autre moment de silence, elle a murmuré que j'étais bizarre, qu'elle m'aimait sans doute à cause de cela mais que peut-être un jour je la dégoûterais pour les mêmes raisons. Comme je me taisais, n'ayant rien à ajouter, elle m'a pris le bras en souriant et elle a déclaré qu'elle voulait se marier avec moi. J'ai répondu que nous le ferions dès qu'elle le voudrait. Je lui ai parlé alors de la proposition du patron et Marie m'a dit qu'elle aimerait connaître Paris. Je lui ai appris que j'y avais vécu dans un temps et elle m'a demandé comment c'était. Je lui ai dit : « C'est sale. Il y a des pigeons et des cours noires. Les gens ont la peau blanche. »

Puis nous avons marché et traversé la ville
par ses grandes rues. Les femmes étaient belles
et j'ai demandé à Marie si elle le remarquait.
Elle m'a dit que oui et qu'elle me comprenait. Pendant un moment, nous n'avons plus
parlé. Je voulais cependant qu'elle reste avec
moi et je lui ai dit que nous pouvions dîner
ensemble chez Céleste. Elle en avait bien
envie, mais elle avait à faire. Nous étions près
de chez moi et je lui ai dit au revoir. Elle m'a
regardé : « Tu ne veux pas savoir ce que j'ai
à faire? » Je voulais bien le savoir, mais je
n'y avais pas pensé et c'est ce qu'elle avait
l'air de me reprocher. Alors, devant mon air
empêtré, elle a encore ri et elle a eu vers moi
un mouvement de tout le corps pour me
tendre sa bouche.

J'ai dîné chez Céleste. J'avais déjà commencé à manger lorsqu'il est entré une
bizarre petite femme qui m'a demandé si elle
pouvait s'asseoir à ma table. Naturellement,
elle le pouvait. Elle avait des gestes saccadés
et des yeux brillants dans une petite figure
de pomme. Elle s'est débarrassée de sa
jaquette, s'est assise et a consulté fiévreuse-

ment la carte. Elle a appelé Céleste et a com-
mandé immédiatement tous ses plats d'une
voix à la fois précise et précipitée. En atten-
dant les hors-d'œuvre, elle a ouvert son sac,
en a sorti un petit carré de papier et un
crayon, a fait d'avance l'addition, puis a tiré
d'un gousset, augmentée du pourboire, la
somme exacte qu'elle a placée devant elle. A
ce moment, on lui a apporté des hors-d'œuvre
qu'elle a engloutis à toute vitesse. En atten-
dant le plat suivant, elle a encore sorti de son
sac un crayon bleu et un magazine qui donnait les programmes radiophoniques de la
semaine. Avec beaucoup de soin, elle a coché
une à une presque toutes les émissions.
Comme le magazine avait une douzaine de
de pages, elle a continué ce travail méticuleu-
sement pendant tout le repas. J'avais déjà fini
qu'elle cochait encore avec la même applica-
tion. Puis elle s'est levée, a remis sa jaquette
avec les mêmes gestes précis d'automate et
elle est partie. Comme je n'avais rien à faire,
je suis sorti aussi et je l'ai suivie un moment.
Elle s'était placée sur la bordure du trottoir
et avec une vitesse et une sûreté incroyables,

elle suivait son chemin sans dévier et sans se retourner. J'ai fini par la perdre de vue et par revenir sur mes pas. J'ai pensé qu'elle était bizarre, mais je l'ai oubliée assez vite.

Sur le pas de ma porte, j'ai trouvé le vieux Salamano. Je l'ai fait entrer et il m'a appris que son chien était perdu, car il n'était pas à la fourrière. Les employés lui avaient dit que, peut-être, il avait été écrasé. Il avait demandé s'il n'était pas possible de le savoir dans les commissariats. On lui avait répondu qu'on ne gardait pas trace de ces choses-là, parce qu'elles arrivaient tous les jours. J'ai dit au vieux Salamano qu'il pourrait avoir un autre chien, mais il a eu raison de me faire remarquer qu'il était habitué à celui-là.

J'étais accroupi sur mon lit et Salamano s'était assis sur une chaise devant la table. Il me faisait face et il avait ses deux mains sur les genoux. Il avait gardé son vieux feutre. Il mâchonnait des bouts de phrases sous sa moustache jaunie. Il m'ennuyait un peu, mais je n'avais rien à faire et je n'avais pas sommeil. Pour dire quelque chose, je l'ai interrogé sur son chien. Il m'a dit qu'il l'avait eu

après la mort de sa femme. Il s'était marié
assez tard. Dans sa jeunesse, il avait eu envie
de faire du théâtre : au régiment il jouait
dans les vaudevilles militaires. Mais finalement, il était entré dans les chemins de fer
et il ne le regrettait pas, parce que maintenant il avait une petite retraite. Il n'avait
pas été heureux avec sa femme, mais dans
l'ensemble il s'était bien habitué à elle.
Quand elle était morte, il s'était senti très
seul. Alors, il avait demandé un chien à un
camarade d'atelier et il avait eu celui-là très
jeune. Il avait fallu le nourrir au biberon.
Mais comme un chien vit moins qu'un
homme, ils avaient fini par être vieux
ensemble. « Il avait mauvais caractère, m'a
dit Salamano. De temps en temps, on avait
des prises de bec. Mais c'était un bon chien
quand même. » J'ai dit qu'il était de belle
race et Salamano a eu l'air content. « Et
encore, a-t-il ajouté, vous ne l'avez pas connu
avant sa maladie. C'était le poil qu'il avait
de plus beau. » Tous les soirs et tous les
matins, depuis que le chien avait eu cette
maladie de peau, Salamano le passait à la

pommade. Mais selon lui, sa vraie maladie, c'était la vieillesse, et la vieillesse ne se guérit pas.

A ce moment, j'ai bâillé et le vieux m'a annoncé qu'il allait partir. Je lui ai dit qu'il pouvait rester, et que j'étais ennuyé de ce qui était arrivé à son chien : il m'a remercié. Il m'a dit que maman aimait beaucoup son chien. En parlant d'elle, il l'appelait « votre pauvre mère ». Il a émis la supposition que je devais être bien malheureux depuis que maman était morte et je n'ai rien répondu. Il m'a dit alors, très vite et avec un air gêné, qu'il savait que dans le quartier on m'avait mal jugé parce que j'avais mis ma mère à l'asile, mais il me connaissait et il savait que j'aimais beaucoup maman. J'ai répondu, je ne sais pas encore pourquoi, que j'ignorais jusqu'ici qu'on me jugeât mal à cet égard, mais que l'asile m'avait paru une chose naturelle puisque je n'avais pas assez d'argent pour faire garder maman. « D'ailleurs, ai-je ajouté, il y avait longtemps qu'elle n'avait rien à me dire et qu'elle s'ennuyait toute seule. — Oui, m'a-t-il dit, et à l'asile, du

moins, on se fait des camarades. » Puis il s'est
excusé. Il voulait dormir. Sa vie avait changé
maintenant et il ne savait pas trop ce qu'il
allait faire. Pour la première fois depuis que
je le connaissais, d'un geste furtif, il m'a
tendu la main et j'ai senti les écailles de sa
peau. Il a souri un peu et avant de partir, il
m'a dit : « J'espère que les chiens n'aboieront
pas cette nuit. Je crois toujours que c'est le
mien. »

VI

LE dimanche, j'ai eu de la peine à me réveiller et il a fallu que Marie m'appelle et me secoue. Nous n'avons pas mangé parce que nous voulions nous baigner tôt. Je me sentais tout à fait vide et j'avais un peu mal à la tête. Ma cigarette avait un goût amer. Marie s'est moquée de moi parce qu'elle disait que j'avais « une tête d'enterrement ». Elle avait mis une robe de toile blanche et lâché ses cheveux. Je lui ai dit qu'elle était belle, elle a ri de plaisir.

En descendant, nous avons frappé à la porte de Raymond. Il nous a répondu qu'il descendait. Dans la rue, à cause de ma fatigue et aussi parce que nous n'avions pas ouvert

les persiennes, le jour, déjà tout plein de
soleil, m'a frappé comme une gifle. Marie sautait de joie et n'arrêtait pas de dire qu'il faisait beau. Je me suis senti mieux et je me suis
aperçu que j'avais faim. Je l'ai dit à Marie
qui m'a montré son sac en toile cirée où elle
avait mis nos deux maillots et une serviette.
Je n'avais plus qu'à attendre et nous avons
entendu Raymond fermer sa porte. Il avait
un pantalon bleu et une chemise blanche à
manches courtes. Mais il avait mis un canotier, ce qui a fait rire Marie, et ses avant-
bras étaient très blancs sous les poils noirs.
J'en étais un peu dégoûté. Il sifflait en descendant et il avait l'air très content. Il m'a
dit : « Salut, vieux », et il appelé Marie
« mademoiselle ».

La veille nous étions allés au commissariat
et j'avais témoigné que la fille avait « manqué » à Raymond. Il en a été quitte pour un
avertissement. On n'a pas contrôlé mon affirmation. Devant la porte, nous en avons parlé
avec Raymond, puis nous avons décidé de
prendre l'autobus. La plage n'était pas très
loin, mais nous irions plus vite ainsi. Ray-

mond pensait que son ami serait content de nous voir arriver tôt. Nous allions partir quand Raymond, tout d'un coup, m'a fait signe de regarder en face. J'ai vu un groupe d'Arabes adossés à la devanture du bureau de tabac. Ils nous regardaient en silence, mais à leur manière, ni plus ni moins que si nous étions des pierres ou des arbres morts. Raymond m'a dit que le deuxième à partir de la gauche était son type, et il a eu l'air préoccupé. Il a ajouté que, pourtant, c'était maintenant une histoire finie. Marie ne comprenait pas très bien et nous a demandé ce qu'il y avait. Je lui ai dit que c'étaient des Arabes qui en voulaient à Raymond. Elle a voulu qu'on parte tout de suite. Raymond s'est redressé et il a ri en disant qu'il fallait se dépêcher.

Nous sommes allés vers l'arrêt d'autobus qui était un peu plus loin et Raymond m'a annoncé que les Arabes ne nous suivaient pas. Je me suis retourné. Ils étaient toujours à la même place et ils regardaient avec la même indifférence l'endroit que nous venions de quitter. Nous avons pris l'autobus. Ray-

mond, qui paraissait tout à fait soulagé, n'arrêtait pas de faire des plaisanteries pour
Marie. J'ai senti qu'elle lui plaisait, mais elle
ne lui répondait presque pas. De temps en
temps, elle le regardait en riant.

Nous sommes descendus dans la banlieue
d'Alger. La plage n'est pas loin de l'arrêt
d'autobus. Mais il a fallu traverser un petit
plateau qui domine la mer et qui dévale
ensuite vers la plage. Il était couvert de
pierres jaunâtres et d'asphodèles tout blancs
sur le bleu déjà dur du ciel. Marie s'amusait
à en éparpiller les pétales à grands coups de
son sac de toile cirée. Nous avons marché
entre des files de petites villas à barrières
vertes ou blanches, quelques-unes enfouies
avec leurs vérandas sous les tamaris, quelques
autres nues au milieu des pierres. Avant d'arriver au bord du plateau, on pouvait voir déjà
la mer immobile et plus loin un cap somno-
lent et massif dans l'eau claire. Un léger
bruit de moteur est monté dans l'air calme
jusqu'à nous. Et nous avons vu, très loin, un
petit chalutier qui avançait, imperceptible-
ment, sur la mer éclatante. Marie a cueilli

quelques iris de roche. De la pente qui descendait vers la mer nous avons vu qu'il y avait déjà quelques baigneurs.

L'ami de Raymond habitait un petit cabanon de bois à l'extrémité de la plage. La maison était adossée à des rochers et les pilotis qui la soutenaient sur le devant baignaient déjà dans l'eau. Raymond nous a présentés. Son ami s'appelait Masson. C'était un grand type, massif de taille et d'épaules, avec une petite femme ronde et gentille, à l'accent parisien. Il nous a dit tout de suite de nous mettre à l'aise et qu'il y avait une friture de poissons qu'il avait pêchés le matin même. Je lui ai dit combien je trouvais sa maison jolie. Il m'a appris qu'il y venait passer le samedi, le dimanche et tous ses jours de congé. « Avec ma femme, on s'entend bien », a-t-il ajouté. Justement, sa femme riait avec Marie. Pour la première fois peut-être, j'ai pensé vraiment que j'allais me marier.

Masson voulait se baigner, mais sa femme et Raymond ne voulaient pas venir. Nous sommes descendus tous les trois et Marie s'est immédiatement jetée dans l'eau. Masson et

moi, nous avons attendu un peu. Lui parlait
lentement et j'ai remarqué qu'il avait l'habitude de compléter tout ce qu'il avançait
par un « et je dirai plus », même quand, au
fond, il n'ajoutait rien au sens de sa phrase.
A propos de Marie, il m'a dit : « Elle est
épatante, et je dirai plus, charmante. » Puis
je n'ai plus fait attention à ce tic parce que
j'étais occupé à éprouver que le soleil me faisait du bien. Le sable commençait à chauffer
sous les pieds. J'ai retardé encore l'envie que
j'avais de l'eau, mais j'ai fini par dire à Masson : « On y va? » J'ai plongé. Lui est entré
dans l'eau doucement et s'est jeté quand il a
perdu pied. Il nageait à la brasse et assez mal,
de sorte que je l'ai laissé pour rejoindre
Marie. L'eau était froide et j'étais content de
nager. Avec Marie, nous nous sommes éloignés et nous nous sentions d'accord dans nos
gestes et dans notre contentement.

Au large, nous avons fait la planche et sur
mon visage tourné vers le ciel le soleil écartait
les derniers voiles d'eau qui me coulaient
dans la bouche. Nous avons vu que Masson
regagnait la plage pour s'étendre au soleil.

De loin, il paraissait énorme. Marie a voulu
que nous nagions ensemble. Je me suis mis
derrière elle pour la prendre par la taille et
elle avançait à la force des bras pendant que
je l'aidais en battant des pieds. Le petit bruit
de l'eau battue nous a suivis dans le matin
jusqu'à ce que je me sente fatigué. Alors j'ai
laissé Marie et je suis rentré en nageant régulièrement et en respirant bien. Sur la plage,
je me suis étendu à plat ventre près de Masson et j'ai mis ma figure dans le sable. Je lui
ai dit que « c'était bon » et il était de cet
avis. Peu après, Marie est venue. Je me suis
retourné pour la regarder avancer. Elle était
toute visqueuse d'eau salée et elle tenait ses
cheveux en arrière. Elle s'est allongée flanc à
flanc avec moi et les deux chaleurs de son
corps et du soleil m'ont un peu endormi.

Marie m'a secoué et m'a dit que Masson
était remonté chez lui, il fallait déjeuner. Je
me suis levé tout de suite parce que j'avais
faim, mais Marie m'a dit que je ne l'avais
pas embrassée depuis ce matin. C'était vrai et
pourtant j'en avais envie. « Viens dans
l'eau », m'a-t-elle dit. Nous avons couru pour

nous étaler dans les premières petites vagues. Nous avons fait quelques brasses et elle s'est collée contre moi. J'ai senti ses jambes autour des miennes et je l'ai désirée.

Quand nous sommes revenus, Masson nous appelait déjà. J'ai dit que j'avais très faim et il a déclaré tout de suite à sa femme que je lui plaisais. Le pain était bon, j'ai dévoré ma part de poisson. Il y avait ensuite de la viande et des pommes de terre frites. Nous mangions tous sans parler. Masson buvait souvent du vin et il me servait sans arrêt. Au café, j'avais la tête un peu lourde et j'ai fumé beaucoup. Masson, Raymond et moi, nous avons envisagé de passer ensemble le mois d'août à la plage, à frais communs. Marie nous a dit tout d'un coup : « Vous savez quelle heure il est? Il est onze heures et demie. » Nous étions tous étonnés, mais Masson a dit qu'on avait mangé très tôt, et que c'était naturel parce que l'heure du déjeuner, c'était l'heure où l'on avait faim. Je ne sais pas pourquoi cela a fait rire Marie. Je crois qu'elle avait un peu trop bu. Masson m'a demandé alors si je voulais me promener sur la plage avec lui. « Ma

femme fait toujours la sieste après le déjeuner. Moi, je n'aime pas ça. Il faut que je
marche. Je lui dis toujours que c'est meilleur
pour la santé. Mais après tout, c'est son
droit. » Marie a déclaré qu'elle resterait pour
aider Mme Masson à faire la vaisselle. La
petite Parisienne a dit que pour cela, il fallait
mettre les hommes dehors. Nous sommes descendus tous les trois.

Le soleil tombait presque d'aplomb sur le
sable et son éclat sur la mer était insoutenable. Il n'y avait plus personne sur la plage.
Dans les cabanons qui bordaient le plateau et
qui surplombaient la mer, on entendait des
bruits d'assiettes et de couverts. On respirait à
peine dans la chaleur de pierre qui montait
du sol. Pour commencer, Raymond et Masson
ont parlé de choses et de gens que je ne connaissais pas. J'ai compris qu'il y avait longtemps qu'ils se connaissaient et qu'ils avaient
même vécu ensemble à un moment. Nous
nous sommes dirigés vers l'eau et nous avons
longé la mer. Quelquefois, une petite vague
plus longue que l'autre venait mouiller nos
souliers de toile. Je ne pensais à rien parce

que j'étais à moitié endormi par ce soleil sur
ma tête nue.

A ce moment, Raymond a dit à Masson
quelque chose que j'ai mal entendu. Mais j'ai
aperçu en même temps, tout au bout de la
plage et très loin de nous, deux Arabes en
bleu de chauffe qui venaient dans notre
direction. J'ai regardé Raymond et il m'a
dit : « C'est lui. » Nous avons continué à
marcher. Masson a demandé comment ils
avaient pu nous suivre jusque-là. J'ai pensé
qu'ils avaient dû nous voir prendre l'autobus
avec un sac de plage, mais je n'ai rien dit.

Les Arabes avançaient lentement et ils
étaient déjà beaucoup plus rapprochés. Nous
n'avons pas changé notre allure, mais Raymond a dit : « S'il y a de la bagarre, toi,
Masson, tu prendras le deuxième. Moi, je me
charge de mon type. Toi, Meursault, s'il en
arrive un autre, il est pour toi. » J'ai dit :
« Oui » et Masson a mis ses mains dans les
poches. Le sable surchauffé me semblait
rouge maintenant. Nous avancions d'un pas
égal vers les Arabes. La distance entre nous
a diminué régulièrement. Quand nous avons

été à quelques pas les uns des autres, les
Arabes se sont arrêtés. Masson et moi nous
avons ralenti notre pas. Raymond est allé tout
droit vers son type. J'ai mal entendu ce qu'il
lui a dit, mais l'autre a fait mine de lui donner un coup de tête. Raymond a frappé alors
une première fois et il a tout de suite appelé
Masson. Masson est allé à celui qu'on lui
avait désigné et il a frappé deux fois avec tout
son poids. L'Arabe s'est aplati dans l'eau, la
face contre le fond, et il est resté quelques
secondes ainsi, des bulles crevant à la surface,
autour de sa tête. Pendant ce temps Raymond
aussi a frappé et l'autre avait la figure en
sang. Raymond s'est retourné vers moi et a
dit : « Tu vas voir ce qu'il va prendre. »
Je lui ai crié : « Attention, il a un couteau! »
Mais déjà Raymond avait le bras ouvert et la
bouche tailladée.

Masson a fait un bond en avant. Mais
l'autre Arabe s'était relevé et il s'est placé
derrière celui qui était armé. Nous n'avons
pas osé bouger. Ils ont reculé lentement, sans
cesser de nous regarder et de nous tenir en
respect avec le couteau. Quand ils ont vu

qu'ils avaient assez de champ, ils se sont
enfuis très vite, pendant que nous restions
cloués sous le soleil et que Raymond tenait
serré son bras dégouttant de sang.

Masson a dit immédiatement qu'il y avait
un docteur qui passait ses dimanches sur le
plateau. Raymond a voulu y aller tout de
suite. Mais chaque fois qu'il parlait, le sang
de sa blessure faisait des bulles dans sa
bouche. Nous l'avons soutenu et nous sommes
revenus au cabanon aussi vite que possible.
Là, Raymond a dit que ses blessures étaient
superficielles et qu'il pouvait aller chez le docteur. Il est parti avec Masson et je suis resté
pour expliquer aux femmes ce qui était
arrivé. Mme Masson pleurait et Marie était
très pâle. Moi, cela m'ennuyait de leur expliquer. J'ai fini par me taire et j'ai fumé en
regardant la mer.

Vers une heure et demie, Raymond est
revenu avec Masson. Il avait le bras bandé
et du sparadrap au coin de la bouche. Le
docteur lui avait dit que ce n'était rien,
mais Raymond avait l'air très sombre. Masson a essayé de le faire rire. Mais il ne par-

lait toujours pas. Quand il a dit qu'il
descendait sur la plage, je lui ai demandé
où il allait. Masson et moi avons dit que
nous allions l'accompagner. Alors, il s'est mis
en colère et nous a insultés. Masson a déclaré
qu'il ne fallait pas le contrarier. Moi, je l'ai
suivi quand même.

Nous avons marché longtemps sur la
plage. Le soleil était maintenant écrasant. Il
se brisait en morceaux sur le sable et sur la
mer. J'ai eu l'impression que Raymond savait
où il allait, mais c'était sans doute faux. Tout
au bout de la plage, nous sommes arrivés
enfin à une petite source qui coulait dans le
sable, derrière un gros rocher. Là, nous avons
trouvé nos deux Arabes. Ils étaient couchés,
dans leurs bleus de chauffe graisseux. Ils
avaient l'air tout à fait calmes et presque
contents. Notre venue n'a rien changé. Celui
qui avait frappé Raymond le regardait sans
rien dire. L'autre soufflait dans un petit
roseau et répétait sans cesse, en nous regardant du coin de l'œil, les trois notes qu'il
obtenait de son instrument.

Pendant tout ce temps, il n'y a plus eu

que le soleil et ce silence, avec le petit bruit
de la source et les trois notes. Puis Raymond
a porté la main à sa poche revolver, mais
l'autre n'a pas bougé et ils se regardaient
toujours. J'ai remarqué que celui qui jouait
de la flûte avait les doigts des pieds très écar-
tés. Mais sans quitter des yeux son adversaire,
Raymond m'a demandé : « Je le descends? »
J'ai pensé que si je disais non il s'exciterait
tout seul et tirerait certainement. Je lui ai
seulement dit : « Il ne t'a pas encore parlé.
Ça ferait vilain de tirer comme ça. » On a
encore entendu le petit bruit d'eau et de
flûte au cœur du silence et de la chaleur.
Puis Raymond a dit : « Alors, je vais l'insulter et quand il répondra, je le descendrai. »
J'ai répondu : « C'est ça. Mais s'il ne sort pas
son couteau, tu ne peux pas tirer. » Raymond
a commencé à s'exciter un peu. L'autre
jouait toujours et tous deux observaient
chaque geste de Raymond. « Non, ai-je dit
à Raymond. Prends-le d'homme à homme et
donne-moi ton revolver. Si l'autre intervient,
ou s'il tire son couteau, je le descendrai. »

Quand Raymond m'a donné son revolver,

le soleil a glissé dessus. Pourtant, nous
sommes restés encore immobiles comme si
tout s'était refermé autour de nous. Nous
nous regardions sans baisser les yeux et tout
s'arrêtait ici entre la mer, le sable et le soleil,
le double silence de la flûte et de l'eau. J'ai
pensé à ce moment qu'on pouvait tirer ou ne
pas tirer. Mais brusquement, les Arabes, à
reculons, se sont coulés derrière le rocher.
Raymond et moi sommes alors revenus sur
nos pas. Lui paraissait mieux et il a parlé
de l'autobus du retour.

Je l'ai accompagné jusqu'au cabanon et,
pendant qu'il gravissait l'escalier de bois je
suis resté devant la première marche, la tête
retentissante de soleil, découragé devant
l'effort qu'il fallait faire pour monter l'étage
de bois et aborder encore les femmes. Mais
la chaleur était telle qu'il m'était pénible
aussi de rester immobile sous la pluie aveuglante qui tombait du ciel. Rester ici ou
partir, cela revenait au même. Au bout d'un
moment, je suis retourné vers la plage et je
me suis mis à marcher.

C'était le même éclatement rouge. Sur le

sable, la mer haletait de toute la respiration
rapide et étouffée de ses petites vagues. Je
marchais lentement vers les rochers et je sentais mon front se gonfler sous le soleil.
Toute cette chaleur s'appuyait sur moi et
s'opposait à mon avance. Et chaque fois que
je sentais son grand souffle chaud sur mon
visage, je serrais les dents, je fermais les
poings dans les poches de mon pantalon, je
me tendais tout entier pour triompher du
soleil et de cette ivresse opaque qu'il me déversais. A chaque épée de lumière jaillie
du sable, d'un coquillage blanchi ou d'un
débris de verre, mes mâchoires se crispaient.
J'ai marché longtemps.

Je voyais de loin la petite masse sombre du
rocher entourée d'un halo aveuglant par
la lumière et la poussière de mer. Je pensais à la source fraîche derrière le rocher.
J'avais envie de retrouver le murmure de son
eau, envie de fuir le soleil, l'effort et les
pleurs de femme, envie enfin de retrouver
l'ombre et son repos. Mais quand j'ai été
plus près, j'ai vu que le type de Raymond
était revenu.

Il était seul. Il reposait sur le dos, les mains sous la nuque, le front dans les ombres du rocher, tout le corps au soleil. Son bleu de chauffe fumait dans la chaleur. J'ai été un peu surpris. Pour moi, c'était une histoire finie et j'étais venu là sans y penser.

Dès qu'il m'a vu, il s'est soulevé un peu et a mis la main dans sa poche. Moi, naturellement, j'ai serré le revolver de Raymond dans mon veston. Alors de nouveau, il s'est laissé aller en arrière, mais sans retirer la main de sa poche. J'étais assez loin de lui, à une dizaine de mètres. Je devinais son regard par instants, entre ses paupières mi-closes. Mais le plus souvent, son image dansait devant mes yeux, dans l'air enflammé. Le bruit des vagues était encore plus paresseux, plus étale qu'à midi. C'était le même soleil, la même lumière sur le même sable qui se prolongeait ici. Il y avait déjà deux heures que la journée n'avançait plus, deux heures qu'elle avait jeté l'ancre dans un océan de métal bouillant. A l'horizon, un petit vapeur est passé et j'en ai deviné la tache noire au bord de mon regard, parce que je n'avais pas cessé de regarder l'Arabe.

J'ai pensé que je n'avais qu'un demi-tour à faire et ce serait fini. Mais toute une plage vibrante de soleil se pressait derrière moi. J'ai fait quelques pas vers la source. L'Arabe n'a pas bougé. Malgré tout, il était encore assez loin. Peut-être à cause des ombres sur son visage, il avait l'air de rire. J'ai attendu. La brûlure du soleil gagnait mes joues et j'ai senti des gouttes de sueur s'amasser dans mes sourcils. C'était le même soleil que le jour où j'avais enterré maman et, comme alors, le front surtout me faisait mal et toutes ses veines battaient ensemble sous la peau. A cause de cette brûlure que je ne pouvais plus supporter, j'ai fait un mouvement en avant. Je savais que c'était stupide, que je ne me débarrasserais pas du soleil en me déplaçant d'un pas. Mais j'ai fait un pas, un seul pas en avant. Et cette fois, sans se soulever, l'Arabe a tiré son couteau qu'il m'a présenté dans le soleil. La lumière a giclé sur l'acier et c'était comme une longue lame étincelante qui m'atteignait au front. Au même instant, la sueur amassée dans mes

sourcils a coulé d'un coup sur les paupières
et les a recouvertes d'un voile tiède et épais.
Mes yeux étaient aveuglés derrière ce rideau
de larmes et de sel. Je ne sentais plus que
les cymbales du soleil sur mon front et,
indistinctement, le glaive éclatant jailli du
couteau toujours en face de moi. Cette épée
brûlante rongeait mes cils et fouillait mes
yeux douloureux. C'est alors que tout a va-
cillé. La mer a charrié un souffle épais et
ardent. Il m'a semblé que le ciel s'ouvrait sur
toute son étendue pour laisser pleuvoir du
feu. Tout mon être s'est tendu et j'ai crispé
ma main sur le revolver. La gâchette a cédé,
j'ai touché le ventre poli de la crosse et c'est
là, dans le bruit à la fois sec et assourdissant,
que tout a commencé. J'ai secoué la sueur et
le soleil. J'ai compris que j'avais détruit
l'équilibre du jour, le silence exceptionnel
d'une plage où j'avais été heureux. Alors,
j'ai tiré encore quatre fois sur un corps
inerte où les balles s'enfonçaient sans qu'il
y parût. Et c'était comme quatre coups brefs
que je frappais sur la porte du malheur.

DEUXIÈME PARTIE

I

Tout de suite après mon arrestation, j'ai été
interrogé plusieurs fois. Mais il s'agissait
d'interrogatoires d'identité qui n'ont pas
duré longtemps. La première fois au commissariat, mon affaire semblait n'intéresser personne. Huit jours après, le juge d'instruction,
au contraire, m'a regardé avec curiosité. Mais
pour commencer, il m'a seulement demandé
mon nom et mon adresse, ma profession, la
date et le lieu de ma naissance. Puis il a voulu
savoir si j'avais choisi un avocat. J'ai reconnu
que non et je l'ai questionné pour savoir s'il
était absolument nécessaire d'en avoir un.
« Pourquoi? » a-t-il dit. J'ai répondu que je
trouvais mon affaire très simple. Il a souri
en disant : « C'est un avis. Pourtant, la loi

est là. Si vous ne choisissez pas d'avocat, nous en désignerons un d'office. » J'ai trouvé qu'il était très commode que la justice se chargeât de ces détails. Je le lui ai dit. Il m'a approuvé et a conclu que la loi était bien faite.

Au début, je ne l'ai pas pris au sérieux. Il m'a reçu dans une pièce tendue de rideaux, il avait sur son bureau une seule lampe qui éclairait le fauteuil où il m'a fait asseoir pendant que lui-même restait dans l'ombre. J'avais déjà lu une description semblable dans des livres et tout cela m'a paru un jeu. Après notre conversation, au contraire, je l'ai regardé et j'ai vu un homme aux traits fins, aux yeux bleus enfoncés, grand, avec une longue moustache grise et d'abondants cheveux presque blancs. Il m'a paru très raisonnable et, somme toute, sympathique, malgré quelques tics nerveux qui lui tiraient la bouche. En sortant, j'allais même lui tendre la main, mais je me suis souvenu à temps que j'avais tué un homme.

Le lendemain, un avocat est venu me voir à la prison. Il était petit et rond, assez jeune, les cheveux soigneusement collés. Malgré la

chaleur (j'étais en manches de chemise), il
avait un costume sombre, un col cassé et
une cravate bizarre à grosses raies noires et
blanches. Il a posé sur mon lit la serviette
qu'il portait sous le bras, s'est présenté et
m'a dit qu'il avait étudié mon dossier. Mon
affaire était délicate, mais il ne doutait pas
du succès, si je lui faisais confiance. Je l'ai
remercié et il m'a dit : « Entrons dans le
vif du sujet. »

Il s'est assis sur le lit et m'a expliqué
qu'on avait pris des renseignements sur ma
vie privée. On avait su que ma mère était
morte récemment à l'asile. On avait alors fait
une enquête à Marengo. Les instructeurs
avaient appris que « j'avais fait preuve d'insensibilité » le jour de l'enterrement de
maman. « Vous comprenez, m'a dit mon avocat, cela me gêne un peu de vous demander cela. Mais c'est très important. Et ce sera
un gros argument pour l'accusation, si je ne
trouve rien à répondre. » Il voulait que je
l'aide. Il m'a demandé si j'avais eu de la
peine ce jour-là. Cette question m'a beaucoup étonné et il me semblait que j'aurais

été très gêné si j'avais eu à
répondu cependant que j'avai
l'habitude de m'interroger
difficile de le renseigner.
bien maman, mais cela
Tous les êtres sains
souhaité la mort de
l'avocat m'a coup
m'a fait promett
dience, ni ch
Cependant, j
nature telle
geaient s
j'avais e
j'avais
pas
qu
r
mon
dit : « Ce

Il a réfléchi
dire que ce jour-la
ments naturels. Je lui
que c'est faux.]» Il m'a reg
bizarre, comme si je lui inspira

chaud. Il m'a fait asseoir et, avec beaucoup
de courtoisie, m'a déclaré que mon avocat,
« par suite d'un contretemps », n'avait pu
venir. Mais j'avais le droit de ne pas
répondre à ses questions et d'attendre qu
mon avocat pût m'assister. J'ai dit que
pouvais répondre seul. Il a touché du
un bouton sur la table. Un jeune greff
venu s'installer presque dans mon dos
Nous nous sommes tous les de
dans nos fauteuils. L'interrogato
mencé. Il m'a d'abord dit qu'o
gnait comme étant d'un carac
et renfermé et il a voulu sa
pensais. J'ai répondu : «
jamais grand-chose à dire
Il a souri comme la
que c'était la meille
ajouté : « D'ailleurs,
portance. » Il s'est
redressé assez br
très vite : « Ce
Je n'ai pas bi
par là et je
choses, a-t-i

votre geste. Je suis sûr que vous allez m'aider à les comprendre. » J'ai dit que tout était
très simple. Il m'a pressé de lui retracer ma
journée. Je lui ai retracé ce que déjà je lui
avais raconté : Raymond, la plage, le bain,
la querelle, encore la plage, la petite source,
le soleil et les cinq coups de revolver. A
chaque phrase il disait : « Bien, bien. »
Quand je suis arrivé au corps étendu, il a
approuvé en disant : « Bon. » Moi, j'étais
lassé de répéter ainsi la même histoire et il
me semblait que je n'avais jamais autant
parlé.

Après un silence, il s'est levé et m'a dit
qu'il voulait m'aider, que je l'intéressais et
qu'avec l'aide de Dieu, il ferait quelque
chose pour moi. Mais auparavant, il voulait
me poser encore quelques questions. Sans
transition, il m'a demandé si j'aimais maman.
J'ai dit : « Oui, comme tout le monde » et
le greffier, qui jusqu'ici tapait régulièrement
sur sa machine, a dû se tromper de touches,
car il s'est embarrassé et a été obligé de revenir en arrière. Toujours sans logique appa-
rente, le juge m'a alors demandé si j'avais

tiré les cinq coups de revolver à la suite. J'ai
réfléchi et précisé que j'avais tiré une seule
fois d'abord et, après quelques secondes, les
quatre autres coups. « Pourquoi avez-vous
attendu entre le premier et le second coup? »
dit-il alors. Une fois de plus, j'ai revu la plage
rouge et j'ai senti sur mon front la brûlure
du soleil. Mais cette fois, je n'ai rien
répondu. Pendant tout le silence qui a suivi
le juge a eu l'air de s'agiter. Il s'est assis, a
fourragé dans ses cheveux, a mis ses coudes
sur son bureau et s'est penché un peu vers
moi avec un air étrange : « Pourquoi, pourquoi avez-vous tiré sur un corps à terre? »
Là encore, je n'ai pas su répondre. Le juge
a passé ses mains sur son front et a répété sa
question d'une voix un peu altérée : « Pourquoi? Il faut que vous me le disiez. Pourquoi? » Je me taisais toujours.

Brusquement, il s'est levé, a marché à
grands pas vers une extrémité de son bureau
et a ouvert un tiroir dans un classeur. Il en
a tiré un crucifix d'argent qu'il a brandi en
revenant vers moi. Et d'une voix toute chan-
gée, presque tremblante, il s'est écrié :

« Est-ce que vous le connaissez, celui-là? »
J'ai dit : « Oui, naturellement. » Alors il m'a
dit très vite et d'une façon passionnée que
lui croyait en Dieu, que sa conviction était
qu'aucun homme n'était assez coupable pour
que Dieu ne lui pardonnât pas, mais qu'il
fallait pour cela que l'homme par son repen-
tir devînt comme un enfant dont l'âme est
vide et prête à tout accueillir. Il avait tout
son corps penché sur la table. Il agitait son
crucifix presque au-dessus de moi. A vrai
dire, je l'avais très mal suivi dans son raisonnement, d'abord parce que j'avais chaud
et qu'il y avait dans son cabinet de grosses
mouches qui se posaient sur ma figure, et
aussi parce qu'il me faisait un peu peur. Je
reconnaissais en même temps que c'était
ridicule parce que, après tout, c'était moi le
criminel. Il a continué pourtant. J'ai à peu
près compris qu'à son avis il n'y avait qu'un
point d'obscur dans ma confession, le fait
d'avoir attendu pour tirer mon second coup
de revolver. Pour le reste, c'était très bien,
mais cela, il ne le comprenait pas.

J'allais lui dire qu'il avait tort de s'obsti-

ner : ce dernier point n'avait pas tellement
d'importance. Mais il m'a coupé et m'a
exhorté une dernière fois, dressé de toute sa
hauteur, en me demandant si je croyais en
Dieu. J'ai répondu que non. Il s'est assis
avec indignation. Il m'a dit que c'était impossible, que tous les hommes croyaient en
Dieu, même ceux qui se détournaient de
son visage. C'était là sa conviction et, s'il devait jamais en douter, sa vie n'aurait plus
de sens. « Voulez-vous, s'est-il exclamé, que
ma vie n'ait pas de sens? » A mon avis, cela
ne me regardait pas et je le lui ai dit. Mais
à travers la table, il avançait déjà le Christ
sous mes yeux et s'écriait d'une façon dérai-
sonnable : « Moi, je suis chrétien. Je demande pardon de tes fautes à celui-là.
Comment peux-tu ne pas croire qu'il a souf-
fert pour toi? » J'ai bien remarqué qu'il
me tutoyait, mais j'en avais assez. La chaleur
se faisait de plus en plus grande. Comme
toujours, quand j'ai envie de me débarrasser
de quelqu'un que j'écoute à peine, j'ai eu
l'air d'approuver. A ma surprise, il a triomphé : « Tu vois, tu vois, disait-il. N'est-ce

pas que tu crois et que tu vas te confier à lui? » Evidemment, j'ai dit non une fois de plus. Il est retombé sur son fauteuil.

Il avait l'air très fatigué. Il est resté un moment silencieux pendant que la machine, qui n'avait pas cessé de suivre le dialogue, en prolongeait encore les dernières phrases. Ensuite, il m'a regardé attentivement et avec un peu de tristesse. Il a murmuré : « Je n'ai jamais vu d'âme aussi endurcie que la vôtre. Les criminels qui sont venus devant moi ont toujours pleuré devant cette image de la douleur. » J'allais répondre que c'était justement parce qu'il s'agissait de criminels. Mais j'ai pensé que moi aussi j'étais comme eux. C'était une idée à quoi je ne pouvais pas me faire. Le juge s'est alors levé, comme s'il me signifiait que l'interrogatoire était terminé. Il m'a seulement demandé du même air un peu las si je regrettais mon acte. J'ai réfléchi et j'ai dit que, plutôt que du regret véritable, j'éprouvais un certain ennui. J'ai eu l'impression qu'il ne me comprenait pas. Mais ce jour-là les choses ne sont pas allées plus loin.

Par la suite j'ai souvent revu le juge
d'instruction. Seulement, j'étais accompagné
de mon avocat à chaque fois. On se bornait
à me faire préciser certains points de mes
déclarations précédentes. Ou bien encore le
juge discutait les charges avec mon avocat.
Mais en vérité ils ne s'occupaient jamais de
moi à ces moments-là. Peu à peu en tout
cas, le ton des interrogatoires a changé. Il semblait que le juge ne s'intéressât plus à moi
et qu'il eût classé mon cas en quelque sorte.
Il ne m'a plus parlé de Dieu et je ne l'ai
jamais revu dans l'excitation de ce premier
jour. Le résultat, c'est que nos entretiens sont
devenus plus cordiaux. Quelques questions,
un peu de conversation avec mon avocat, les
interrogatoires étaient finis. Mon affaire suivait son cours, selon l'expression même du
juge. Quelquefois aussi, quand la conversation était d'ordre général, on m'y mêlait. Je
commençais à respirer. Personne, en ces
heures-là, n'était méchant avec moi. Tout
était si naturel, si bien réglé et si sobrement
joué que j'avais l'impression ridicule de
« faire partie de la famille ». Et au bout des

onze mois qu'a duré cette instruction, je peux dire que je m'étonnais presque de m'être jamais réjoui d'autre chose que de ces rares instants où le juge me reconduisait à la porte de son cabinet en me frappant sur l'épaule et en me disant d'un air cordial : « C'est fini pour aujourd'hui, monsieur l'Antéchrist. » On me remettait alors entre les mains des gendarmes.

II

Il y a des choses dont je n'ai jamais aimé parler. Quand je suis entré en prison, j'ai compris au bout de quelques jours que je n'aimerais pas parler de cette partie de ma vie.

Plus tard, je n'ai plus trouvé d'importance à ces répugnances. En réalité, je n'étais pas réellement en prison les premiers jours : j'attendais vaguement quelque événement nouveau. C'est seulement après la première et la seule visite de Marie que tout a commencé. Du jour où j'ai reçu sa lettre (elle me disait qu'on ne lui permettait plus de venir parce qu'elle n'était pas ma femme), de ce jour-là, j'ai senti que j'étais chez moi

dans ma cellule et que ma vie s'y arrêtait. Le
jour de mon arrestation, on m'a d'abord en-
fermé dans une chambre où il y avait déjà
plusieurs détenus, la plupart des Arabes. Ils
ont ri en me voyant. Puis ils m'ont demandé
ce que j'avais fait. J'ai dit que j'avais tué un
Arabe et ils sont restés silencieux. Mais un
moment après, le soir est tombé. Ils m'ont
expliqué comment il fallait arranger la natte
où je devais coucher. En roulant une des
extrémités, on pouvait en faire un traversin.
Toute la nuit, des punaises ont couru sur
mon visage. Quelques jours après, on m'a
isolé dans une cellule où je couchais sur un
bat-flanc de bois. J'avais un baquet d'ai-
sances et une cuvette de fer. La prison était
tout en haut de la ville et, par une petite
fenêtre, je pouvais voir la mer. C'est un jour
que j'étais agrippé aux barreaux, mon visage
tendu vers la lumière, qu'un gardien est
entré et m'a dit que j'avais une visite. J'ai
pensé que c'était Marie. C'était bien elle.

J'ai suivi pour aller au parloir un long
corridor, puis un escalier et pour finir un
autre couloir. Je suis entré dans une très

grande salle éclairée par une vaste baie. La
salle était séparée en trois parties par deux
grandes grilles qui la coupaient dans sa longueur. Entre les deux grilles se trouvait un
espace de huit à dix mètres qui séparait les
visiteurs des prisonniers. J'ai aperçu Marie en
face de moi avec sa robe à raies et son visage
bruni. De mon côté, il y avait une dizaine de
détenus, des Arabes pour la plupart. Marie
était entourée de Mauresques et se trouvait
entre deux visiteuses : une petite vieille aux
lèvres serrées, habillée de noir, et une grosse
femme en cheveux qui parlait très fort avec
beaucoup de gestes. A cause de la distance
entre les grilles, les visiteurs et les prisonniers
étaient obligés de parler très haut. Quand je
suis entré, le bruit des voix qui rebondis-
saient contre les grands murs nus de la salle,
la lumière crue qui coulait du ciel sur les
vitres et rejaillissait dans la salle, me cau-
sèrent une sorte d'étourdissement. Ma cellule
était plus calme et plus sombre. Il m'a fallu
quelques secondes pour m'adapter. Pourtant,
j'ai fini par voir chaque visage avec netteté,
détaché dans le plein jour. J'ai observé

qu'un gardien se tenait assis à l'extrémité du couloir entre les deux grilles. La plupart des prisonniers arabes ainsi que leurs familles s'étaient accroupis en vis-à-vis. Ceux-là ne criaient pas. Malgré le tumulte, ils parvenaient à s'entendre en parlant très bas. Leur murmure sourd, parti de plus bas, formait comme une basse continue aux conversations qui s'entrecroisaient au-dessus de leurs têtes. Tout cela, je l'ai remarqué très vite en m'avançant vers Marie. Déjà collée contre la grille, elle me souriait de toutes ses forces. Je l'ai trouvée très belle, mais je n'ai pas su le lui dire.

« Alors? m'a-t-elle dit très haut. — Alors, voilà. — Tu es bien, tu as tout ce que tu veux? — Oui, tout. »

Nous nous sommes tus et Marie souriait toujours. La grosse femme hurlait vers mon voisin, son mari sans doute, un grand type blond au regard franc. C'était la suite d'une conversation déjà commencée.

« Jeanne n'a pas voulu le prendre, criait-elle à tue-tête. — Oui, oui, disait l'homme — Je lui ai dit que tu le reprendrais en sortant, mais elle n'a pas voulu le prendre. »

Marie a crié de son côté que Raymond me donnait le bonjour et j'ai dit : « Merci. » Mais ma voix a été couverte par mon voisin qui a demandé « s'il allait bien ». Sa femme a ri en disant « qu'il ne s'était jamais mieux porté ». Mon voisin de gauche, un petit jeune homme aux mains fines, ne disait rien. J'ai remarqué qu'il était en face de la petite vieille et que tous les deux se regardaient avec intensité. Mais je n'ai pas eu le temps de les observer plus longtemps parce que Marie m'a crié qu'il fallait espérer. J'ai dit : « Oui. » En même temps, je la regardais et j'avais envie de serrer son épaule par-dessus sa robe. J'avais envie de ce tissu fin et je ne savais pas très bien ce qu'il fallait espérer en dehors de lui. Mais c'était bien sans doute ce que Marie voulait dire parce qu'elle souriait toujours. Je ne voyais plus que l'éclat de ses dents et les petits plis de ses yeux. Elle a crié de nouveau : « Tu sortiras et on se mariera! » J'ai répondu : « Tu crois? » mais c'était surtout pour dire quelque chose. Elle a dit alors très vite et toujours très haut que oui, que je serais acquitté et qu'on prendrait encore des bains. Mais l'autre femme hurlait de son côté et disait qu'elle avait laissé un panier au greffe. Elle énumérait tout ce qu'elle y avait mis. Il fallait vérifier, car tout cela coûtait cher. Mon autre voisin et sa mère se regardaient toujours. Le murmure des Arabes continuait au-dessous de nous. Dehors la lumière a semblé se gonfler contre la baie.

Je me sentais un peu malade et j'aurais voulu partir. Le bruit me faisait mal. Mais d'un autre côté, je voulais profiter encore de la présence de Marie. Je ne sais pas combien de temps a passé. Marie m'a parlé de son travail et elle souriait sans arrêt. Le murmure, les cris, les conversations se croisaient. Le seul îlot de silence était à côté de moi dans ce petit jeune homme et cette vieille qui se regardaient. Peu à peu, on a emmené les Arabes. Presque tout le monde s'est tu dès que le premier est sorti. La petite vieille s'est rapprochée des barreaux et, au même moment, un gardien a fait signe à son fils. Il a dit : « Au revoir, maman » et elle a passé sa main entre deux barreaux pour lui faire un petit signe lent et prolongé.

Elle est partie pendant qu'un homme entrait, le chapeau à la main, et prenait sa place. On a introduit un prisonnier et ils se sont parlé avec animation, mais à demi-voix, parce que la pièce était redevenue silencieuse. On est venu chercher mon voisin de droite et sa femme lui a dit sans baisser le ton comme si elle n'avait pas remarqué qu'il n'était plus nécessaire de crier : « Soigne-toi bien et fais attention. » Puis est venu mon tour. Marie a fait signe qu'elle m'embrassait. Je me suis retourné avant de disparaître. Elle était immobile, le visage écrasé contre la grille, avec le même sourire écartelé et crispé.

C'est peu après qu'elle m'a écrit. Et c'est à partir de ce moment qu'ont commencé les choses dont je n'ai jamais aimé parler. De toute façon, il ne faut rien exagérer et cela m'a été plus facile qu'à d'autres. Au début de ma détention, pourtant, ce qui a été le plus dur, c'est que j'avais des pensées

d'homme libre. Par exemple, l'envie me prenait d'être sur une plage et de descendre
vers la mer. A imaginer le bruit des premières vagues sous la plante de mes pieds,
l'entrée du corps dans l'eau et la délivrance
que j'y trouvais, je sentais tout d'un coup
combien les murs de ma prison étaient rapprochés. Mais cela dura quelques mois.
Ensuite, je n'avais que des pensées de prisonnier. J'attendais la promenade quoti-
dienne que je faisais dans la cour ou la visite
de mon avocat. Je m'arrangeais très bien avec
le reste de mon temps. J'ai souvent pensé
alors que si l'on m'avait fait vivre dans un
tronc d'arbre sec, sans autre occupation que
de regarder la fleur du ciel au-dessus de ma
tête, je m'y serais peu à peu habitué. J'aurais attendu des passages d'oiseaux ou des
rencontres de nuages comme j'attendais ici
les curieuses cravates de mon avocat et
comme, dans un autre monde, je patientais
jusqu'au samedi pour étreindre le corps de
Marie. Or, à bien réfléchir, je n'étais pas dans
un arbre sec. Il y avait plus malheureux que
moi. C'était d'ailleurs une idée de maman,

et elle le répétait souvent, qu'on finissait par s'habituer à tout.

Du reste, je n'allais pas si loin d'ordinaire. Les premiers mois ont été durs. Mais justement l'effort que j'ai dû faire aidait à les passer. Par exemple, j'étais tourmenté par le désir d'une femme. C'était naturel, j'étais jeune. Je ne pensais jamais à Marie particulièrement. Mais je pensais tellement à une femme, aux femmes, à toutes celles que j'avais connues, à toutes les circonstances où je les avais aimées, que ma cellule s'emplissait de tous les visages et se peuplait de mes désirs. Dans un sens, cela me déséquilibrait. Mais dans un autre, cela tuait le temps. J'avais fini par gagner la sympathie du gardien-chef qui accompagnait à l'heure des repas le garçon de cuisine. C'est lui qui, d'abord, m'a parlé des femmes. Il m'a dit que c'était la première chose dont se plaignaient les autres. Je lui ai dit que j'étais comme eux et que je trouvais ce traitement injuste. « Mais, a-t-il dit, c'est justement pour ça qu'on vous met en prison. — Comment, pour ça? — Mais oui, la liberté c'est ça. On vous prive de la

liberté. » Je n'avais jamais pensé à cela. Je
l'ai approuvé : « C'est vrai, lui ai-je dit, où
serait la punition? — Oui, vous comprenez
les choses, vous. Les autres non. Mais ils
finissent par se soulager eux-mêmes. » Le
gardien est parti ensuite.

Il y a eu aussi les cigarettes. Quand je suis
entré en prison, on m'a pris ma ceinture, mes
cordons de souliers, ma cravate et tout ce que
je portais dans mes poches, mes cigarettes en
particulier. Une fois en cellule, j'ai demandé
qu'on me les rende. Mais on m'a dit que
c'était défendu. Les premiers jours ont été
très durs. C'est peut-être cela qui m'a le plus
abattu. Je suçais des morceaux de bois que
j'arrachais de la planche de mon lit. Je pro-
menais toute la journée une nausée perpé-
tuelle. Je ne comprenais pas pourquoi on me
privait de cela qui ne faisait de mal à personne. Plus tard, j'ai compris que cela faisait
partie aussi de la punition. Mais à ce
moment-là, je m'étais habitué à ne plus fumer
et cette punition n'en était plus une pour
moi.

A part ces ennuis, je n'étais pas trop malheureux. Toute la question, encore une fois, était de tuer le temps. J'ai fini par ne plus m'ennuyer du tout à partir de l'instant où j'ai appris à me souvenir. Je me mettais quelquefois à penser à ma chambre et, en imagination, je partais d'un coin pour y revenir en dénombrant mentalement tout ce qui se trouvait sur mon chemin. Au début, c'était vite fait. Mais chaque fois que je recommençais, c'était un peu plus long. Car je me souvenais de chaque meuble, et, pour chacun d'entre eux, de chaque objet qui s'y trouvait et, pour chaque objet, de tous les détails et pour les détails eux-mêmes, une incrustation, une fêlure ou un bord ébréché, de leur couleur ou de leur grain. En même temps, j'essayais de ne pas perdre le fil de mon inventaire, de faire une énumération complète. Si bien qu'au bout de quelques semaines, je pouvais passer des heures, rien qu'à dénombrer ce qui se trouvait dans ma chambre. Ainsi, plus je réfléchissais et plus de choses méconnues et oubliées je sortais de ma mémoire. J'ai compris alors qu'un homme qui n'aurait vécu qu'un seul jour pourrait sans peine vivre cent

ans dans une prison. Il aurait assez de souvenirs pour ne pas s'ennuyer. Dans un sens,
c'était un avantage.

Il y avait aussi le sommeil. Au début, je
dormais mal la nuit et pas du tout le jour.
Peu à peu, mes nuits ont été meilleures et
j'ai pu dormir aussi le jour. Je peux dire que,
dans les derniers mois, je dormais de seize à
dix-huit heures par jour. Il me restait alors
six heures à tuer avec les repas, les besoins
naturels, mes souvenirs et l'histoire du Tché-
coslovaque.

Entre ma paillasse et la planche du lit,
j'avais trouvé, en effet, un vieux morceau de
journal presque collé à l'étoffe, jauni et trans-
parent. Il relatait un fait divers dont le début
manquait, mais qui avait dû se passer en
Tchécoslovaquie. Un homme était parti d'un
village tchèque pour faire fortune. Au bout
de vingt-cinq ans, riche, il était revenu avec
une femme et un enfant. Sa mère tenait un
hôtel avec sa sœur dans son village natal. Pour
les surprendre, il avait laissé sa femme et son
enfant dans un autre établissement, était allé
chez sa mère qui ne l'avait pas reconnu quand

il était entré. Par plaisanterie, il avait eu
l'idée de prendre une chambre. Il avait montré son argent. Dans la nuit, sa mère et sa
sœur l'avaient assassiné à coups de marteau
pour le voler et avaient jeté son corps dans la
rivière. Le matin, la femme était venue, avait
révélé sans le savoir l'identité du voyageur.
La mère s'était pendue. La sœur s'était jetée
dans un puits. J'ai dû lire cette histoire des
milliers de fois. D'un côté, elle était invrai-
semblable. D'un autre, elle était naturelle.
De toute façon, je trouvais que le voyageur
l'avait un peu mérité et qu'il ne faut jamais
jouer.

Ainsi, avec les heures de sommeil, les souvenirs, la lecture de mon fait divers et l'al-
ternance de la lumière et de l'ombre, le
temps a passé. J'avais bien lu qu'on finissait
par perdre la notion du temps en prison.
Mais cela n'avait pas beaucoup de sens pour
moi. Je n'avais pas compris à quel point les
jours pouvaient être à la fois longs et courts.
Longs à vivre sans doute, mais tellement dis-
tendus qu'ils finissaient par déborder les uns
sur les autres. Ils y perdaient leur nom. Les

mots hier ou demain étaient les seuls qui gar-
daient un sens pour moi.

Lorsqu'un jour, le gardien m'a dit que
j'étais là depuis cinq mois, je l'ai cru, mais
je ne l'ai pas compris. Pour moi, c'était sans
cesse le même jour qui déferlait dans ma cellule et la même tâche que je poursuivais. Ce
jour-là, après le départ du gardien, je me suis
regardé dans ma gamelle de fer. Il m'a semblé que mon image restait sérieuse alors
même que j'essayais de lui sourire. Je l'ai
agitée devant moi. J'ai souri et elle a gardé
le même air sévère et triste. Le jour finissait
et c'était l'heure dont je ne veux pas parler,
l'heure sans nom, où les bruits du soir montaient de tous les étages de la prison dans un
cortège de silence. Je me suis approché de la
lucarne et, dans la dernière lumière, j'ai
contemplé une fois de plus mon image. Elle
était toujours sérieuse, et quoi d'étonnant
puisque, à ce moment, je l'étais aussi? Mais
en même temps et pour la première fois
depuis des mois, j'ai entendu distinctement
le son de ma voix. Je l'ai reconnue pour celle
qui résonnait déjà depuis de longs jours à mes

oreilles et j'ai compris que pendant tout ce
temps j'avais parlé seul. Je me suis souvenu
alors de ce que disait l'infirmière à l'enterrement de maman. Non, il n'y avait pas d'issue
et personne ne peut imaginer ce que sont les
soirs dans les prisons.

III

Je peux dire qu'au fond l'été a très vite remplacé l'été. Je savais qu'avec la montée des premières chaleurs surviendrait quelque chose de nouveau pour moi. Mon affaire était inscrite à la dernière session de la cour d'assises et cette session se terminerait avec le mois de juin. Les débats se sont ouverts avec, au-dehors, tout le plein du soleil. Mon avocat m'avait assuré qu'ils ne dureraient pas plus de deux ou trois jours. « D'ailleurs, avait-il ajouté, la cour sera pressée parce que votre affaire n'est pas la plus importante de la session. Il y a un parricide qui passera tout de suite après. »

A sept heures et demie du matin, on est venu me chercher et la voiture cellulaire m'a

conduit au Palais de justice. Les deux gendarmes m'ont fait entrer dans une petite
pièce qui sentait l'ombre. Nous avons attendu,
assis près d'une porte derrière laquelle on
entendait des voix, des appels, des bruits de
chaises et tout un remue-ménage qui m'a fait
penser à ces fêtes de quartier où, après le
concert, on range la salle pour pouvoir dan-
ser. Les gendarmes m'ont dit qu'il fallait
attendre la cour et l'un d'eux m'a offert une
cigarette que j'ai refusée. Il m'a demandé peu
après « si j'avais le trac ». J'ai répondu que
non. Et même, dans un sens, cela m'intéressait de voir un procès. Je n'en avais jamais eu
l'occasion dans ma vie : « Oui, a dit le second
gendarme, mais cela finit par fatiguer. »

Après un peu de temps, une petite sonnerie
a résonné dans la pièce. Ils m'ont alors ôté
les menottes. Ils ont ouvert la porte et m'ont
fait entrer dans le box des accusés. La salle
était pleine à craquer. Malgré les stores, le
soleil s'infiltrait par endroits et l'air était déjà
étouffant. On avait laissé les vitres closes. Je
me suis assis et les gendarmes m'ont encadré.
C'est à ce moment que j'ai aperçu une rangée

de visages devant moi. Tous me regardaient :
j'ai compris que c'étaient les jurés. Mais je ne
peux pas dire ce qui les distinguait les uns
des autres. Je n'ai eu qu'une impression :
j'étais devant une banquette de tramway et
tous ces voyageurs anonymes épiaient le nou-
vel arrivant pour en apercevoir les ridicules.
Je sais bien que c'était une idée niaise puisque
ici ce n'était pas le ridicule qu'ils cherchaient,
mais le crime. Cependant la différence n'est
pas grande et c'est en tout cas l'idée qui m'est
venue.

J'étais un peu étourdi aussi par tout ce
monde dans cette salle close. J'ai regardé
encore le prétoire et je n'ai distingué aucun
visage. Je crois bien que d'abord je ne m'étais
pas rendu compte que tout le monde se pressait pour me voir. D'habitude, les gens ne
s'occupaient pas de ma personne. Il m'a fallu
un effort pour comprendre que j'étais la cause
de toute cette agitation. J'ai dit au gendarme : « Que de monde! » Il m'a répondu
que c'était à cause des journaux et il m'a
montré un groupe qui se tenait près d'une
table sous le banc des jurés. Il m'a dit : « Les

voilà. » J'ai demandé : « Qui? » et il a répété : « Les journaux. » Il connaissait l'un des journalistes qui l'a vu à ce moment et qui s'est dirigé vers nous. C'était un homme déjà âgé, sympathique, avec un visage un peu grimaçant. Il a serré la main du gendarme avec beaucoup de chaleur. J'ai remarqué à ce moment que tout le monde se rencontrait, s'interpellait et conversait, comme dans un club où l'on est heureux de se retrouver entre gens du même monde. Je me suis expliqué aussi la bizarre impression que j'avais d'être de trop, un peu comme un intrus. Pourtant, le journaliste s'est adressé à moi en souriant. Il m'a dit qu'il espérait que tout irait bien pour moi. Je l'ai remercié et il a ajouté : « Vous savez, nous avons monté un peu votre affaire. L'été, c'est la saison creuse pour les journaux. Et il n'y avait que votre histoire et celle du parricide qui vaillent quelque chose. » Il m'a montré ensuite, dans le groupe qu'il venait de quitter, un petit bonhomme qui ressemblait à une belette engraissée, avec d'énormes lunettes cerclées de noir. Il m'a dit que c'était l'envoyé spécial d'un journal de

Paris : « Il n'est pas venu pour vous, d'ailleurs. Mais comme il est chargé de rendre compte du procès du parricide, on lui a demandé de câbler votre affaire en même temps. » Là encore, j'ai failli le remercier. Mais j'ai pensé que ce serait ridicule. Il m'a fait un petit signe cordial de la main et nous a quittés. Nous avons encore attendu quelques minutes.

Mon avocat est arrivé, en robe, entouré de beaucoup d'autres confrères. Il est allé vers les journalistes, a serré des mains. Ils ont plaisanté, ri et ils avaient l'air tout à fait à leur aise, jusqu'au moment où la sonnerie a retenti dans le prétoire. Tout le monde a regagné sa place. Mon avocat est venu vers moi, m'a serré la main et m'a conseillé de répondre brièvement aux questions qu'on me poserait, de ne pas prendre d'initiatives et de me reposer sur lui pour le reste.

A ma gauche, j'ai entendu le bruit d'une chaise qu'on reculait et j'ai vu un grand homme mince, vêtu de rouge, portant lorgnon, qui s'asseyait en pliant sa robe avec soin. C'était le procureur. Un huissier a

annoncé la cour. Au même moment, deux
gros ventilateurs ont commencé de vrombir.
Trois juges, deux en noir, le troisième en
rouge, sont entrés avec des dossiers et ont
marché très vite vers la tribune qui domi-
nait la salle. L'homme en robe rouge s'est
assis sur le fauteuil du milieu, a posé sa toque
devant lui, essuyé son petit crâne chauve avec
un mouchoir et déclaré que l'audience était
ouverte.

Les journalistes tenaient déjà leur stylo en
main. Ils avaient tous le même air indifférent
et un peu narquois. Pourtant, l'un d'entre
eux, beaucoup plus jeune, habillé en flanelle
grise avec une cravate bleue, avait laissé son
stylo devant lui et me regardait. Dans son
visage un peu asymétrique, je ne voyais que
ses deux yeux, très clairs, qui m'examinaient
attentivement, sans rien exprimer qui fût
définissable. Et j'ai eu l'impression bizarre
d'être regardé par moi-même. C'est peut-être
pour cela, et aussi parce que je ne connaissais
pas les usages du lieu, que je n'ai pas très
bien compris tout ce qui s'est passé ensuite,
le tirage au sort des jurés, les questions posées

par le président à l'avocat, au procureur et au
jury (à chaque fois, toutes les têtes des jurés
se retournaient en même temps vers la cour),
une lecture rapide de l'acte d'accusation, où
je reconnaissais des noms de lieux et de per-
sonnes, et de nouvelles questions à mon avocat.

Mais le président a dit qu'il allait faire
procéder à l'appel des témoins. L'huissier a
lu des noms qui ont attiré mon attention. Du
sein de ce public tout à l'heure informe, j'ai
vu se lever un à un, pour disparaître ensuite
par une porte latérale, le directeur et le
concierge de l'asile, le vieux Thomas Pérez,
Raymond, Masson, Salamano, Marie. Celle-ci
m'a fait un petit signe anxieux. Je m'étonnais encore de ne pas les avoir aperçus plus
tôt, lorsque à l'appel de son nom, le dernier,
Céleste, s'est levé. J'ai reconnu à côté de lui
la petite bonne femme du restaurant, avec sa
jaquette et son air précis et décidé. Elle me
regardait avec intensité. Mais je n'ai pas eu
le temps de réfléchir parce que le président
a pris la parole. Il a dit que les véritables
débats allaient commencer et qu'il croyait

inutile de recommander au public d'être calme. Selon lui, il était là pour diriger avec impartialité les débats d'une affaire qu'il voulait considérer avec objectivité. La sentence rendue par le jury serait prise dans un esprit de justice et, dans tous les cas, il ferait évacuer la salle au moindre incident.

La chaleur montait et je voyais dans la salle les assistants s'éventer avec des journaux. Cela faisait un petit bruit continu de papier froissé. Le président a fait un signe et l'huissier a apporté trois éventails de paille tressée que les trois juges ont utilisés immédiatement.

Mon interrogatoire a commencé aussitôt. Le président m'a questionné avec calme et même, m'a-t-il semblé, avec une nuance de cordialité. On m'a encore fait décliner mon identité et malgré mon agacement, j'ai pensé qu'au fond c'était assez naturel, parce qu'il serait trop grave de juger un homme pour un autre. Puis le président a recommencé le récit de ce que j'avais fait, en s'adressant à moi toutes les trois phrases pour me demander : « Est-ce bien cela? » A chaque fois, j'ai

répondu : « Oui, monsieur le Président »,
selon les instructions de mon avocat. Cela a
été long parce que le président apportait
beaucoup de minutie dans son récit. Pendant
tout ce temps, les journalistes écrivaient. Je
sentais les regards du plus jeune d'entre eux
et de la petite automate. La banquette de
tramway était tout entière tournée vers le
président. Celui-ci a toussé, feuilleté son dossier et il s'est tourné vers moi en s'éventant.

Il m'a dit qu'il devait aborder maintenant
des questions apparemment étrangères à mon
affaire, mais qui peut-être la touchaient de
fort près. J'ai compris qu'il allait encore parler de maman et j'ai senti en même temps
combien cela m'ennuyait. Il m'a demandé
pourquoi j'avais mis maman à l'asile. J'ai
répondu que c'était parce que je manquais
d'argent pour la faire garder et soigner. Il
m'a demandé si cela m'avait coûté personnel-
lement et j'ai répondu que ni maman ni moi
n'attendions plus rien l'un de l'autre, ni d'ailleurs de personne, et que nous nous étions
habitués tous les deux à nos vies nouvelles. Le
président a dit alors qu'il ne voulait pas insis-

ter sur ce point et il a demandé au procureur s'il ne voyait pas d'autre question à me poser.

Celui-ci me tournait à demi le dos et, sans me regarder, il a déclaré qu'avec l'autorisation du président il aimerait savoir si j'étais retourné vers la source tout seul avec l'intention de tuer l'Arabe. « Non », ai-je dit. « Alors, pourquoi était-il armé et pourquoi revenir vers cet endroit précisément? » J'ai dit que c'était le hasard. Et le procureur a noté avec un accent mauvais : « Ce sera tout pour le moment. » Tout ensuite a été un peu confus, du moins pour moi. Mais après quelques conciliabules, le président a déclaré que l'audience était levée et renvoyée à l'après-midi pour l'audition des témoins.

Je n'ai pas eu le temps de réfléchir. On m'a emmené, fait monter dans la voiture cellulaire et conduit à la prison où j'ai mangé. Au bout de très peu de temps, juste assez pour me rendre compte que j'étais fatigué; on est revenu me chercher; tout a recommencé et je me suis trouvé dans la même salle, devant les mêmes visages. Seulement la chaleur était beaucoup plus forte et comme par un miracle

chacun des jurés, le procureur, mon avocat et
quelques journalistes étaient munis aussi
d'éventails de paille. Le jeune journaliste et
la petite femme étaient toujours là. Mais ils
ne s'éventaient pas et me regardaient encore
sans rien dire.

J'ai essuyé la sueur qui couvrait mon visage
et je n'ai repris un peu conscience du lieu et
de moi-même que lorsque j'ai entendu appeler le directeur de l'asile. On lui a demandé
si maman se plaignait de moi et il a dit que
oui mais que c'était un peu la manie de ses
pensionnaires de se plaindre de leurs proches.
Le président lui a fait préciser si elle me
reprochait de l'avoir mise à l'asile et le directeur a dit encore oui. Mais cette fois, il n'a
rien ajouté. A une autre question, il a
répondu qu'il avait été surpris de mon calme
le jour de l'enterrement. On lui a demandé
ce qu'il entendait par calme. Le directeur a
regardé alors le bout de ses souliers et il a dit
que je n'avais pas voulu voir maman, je
n'avais pas pleuré une seule fois et j'étais
parti aussitôt après l'enterrement sans me
recueillir sur sa tombe. Une chose encore

l'avait surpris : un employé des pompes
funèbres lui avait dit que je ne savais pas
l'âge de maman. Il y a eu un moment de
silence et le président lui a demandé si c'était
bien de moi qu'il avait parlé. Comme le directeur ne comprenait pas la question, il lui a
dit : « C'est la loi. » Puis le président a
demandé à l'avocat général s'il n'avait pas de
question à poser au témoin et le procureur
s'est écrié : « Oh! non, cela suffit », avec un
tel éclat et un tel regard triomphant dans ma
direction que, pour la première fois depuis
bien des années, j'ai eu une envie stupide de
pleurer parce que j'ai senti combien j'étais
détesté par tous ces gens-là.

Après avoir demandé au jury et à mon avocat s'ils avaient des questions à poser, le président a entendu le concierge. Pour lui
comme pour tous les autres, le même cérémo-
nial s'est répété. En arrivant, le concierge m'a
regardé et il a détourné les yeux. Il a répondu
aux questions qu'on lui posait. Il a dit que je
n'avais pas voulu voir maman, que j'avais
fumé, que j'avais dormi et que j'avais pris du
café au lait. J'ai senti alors quelque chose qui

soulevait toute la salle et, pour la première
fois, j'ai compris que j'étais coupable. On a
fait répéter au concierge l'histoire du café au
lait et celle de la cigarette. L'avocat général
m'a regardé avec une lueur ironique dans les
yeux. A ce moment, mon avocat a demandé
au concierge s'il n'avait pas fumé avec moi.
Mais le procureur s'est élevé avec violence
contre cette question : « Quel est le criminel ici et quelles sont ces méthodes qui
consistent à salir les témoins de l'accusation
pour minimiser des témoignages qui n'en
demeurent pas moins écrasants! » Malgré
tout, le président a demandé au concierge de
répondre à la question. Le vieux a dit d'un
air embarrassé : « Je sais bien que j'ai eu tort.
Mais je n'ai pas osé refuser la cigarette que
Monsieur m'a offerte. » En dernier lieu, on
m'a demandé si je n'avais rien à ajouter.
« Rien, ai-je répondu, seulement que le
témoin a raison. Il est vrai que je lui ai offert
une cigarette. » Le concierge m'a regardé
alors avec un peu d'étonnement et une sorte
de gratitude. Il a hésité, puis il a dit que
c'était lui qui m'avait offert le café au lait.

Mon avocat a triomphé bruyamment et a déclaré que les jurés apprécieraient. Mais le procureur a tonné au-dessus de nos têtes et il a dit : « Oui, MM. les Jurés apprécieront. Et ils concluront qu'un étranger pouvait proposer du café, mais qu'un fils devait le refuser devant le corps de celle qui lui avait donné le jour. » Le concierge a regagné son banc.

Quand est venu le tour de Thomas Pérez, un huissier a dû le soutenir jusqu'à la barre. Pérez a dit qu'il avait surtout connu ma mère et qu'il ne m'avait vu qu'une fois, le jour de l'enterrement. On lui a demandé ce que j'avais fait ce jour-là et il a répondu : « Vous comprenez, moi-même j'avais trop de peine. Alors, je n'ai rien vu. C'était la peine qui m'empêchait de voir. Parce que c'était pour moi une très grosse peine. Et même, je me suis évanoui. Alors, je n'ai pas pu voir monsieur. » L'avocat général lui a demandé si, du moins, il m'avait vu pleurer. Pérez a répondu que non. Le procureur a dit alors à son tour : « MM. les Jurés apprécieront. » Mais mon avocat s'est fâché. Il a demandé à

Pérez, sur un ton qui m'a semblé exagéré, « s'il avait vu que je ne pleurais pas ». Pérez a dit : « Non. » Le public a ri. Et mon avocat, en retroussant une de ses manches, a dit d'un ton péremptoire : « Voilà l'image de ce procès. Tout est vrai et rien n'est vrai » Le procureur avait le visage fermé et piquait un crayon dans les titres de ses dossiers.

Après cinq minutes de suspension pendant lesquelles mon avocat m'a dit que tout allait pour le mieux, on a entendu Céleste qui était cité par la défense. La défense, c'était moi. Céleste jetait de temps en temps des regards de mon côté et roulait un panama entre ses mains. Il portait le costume neuf qu'il mettait pour venir avec moi, certains dimanches, aux courses de chevaux. Mais je crois qu'il n'avait pas pu mettre son col parce qu'il portait seulement un bouton de cuivre pour tenir sa chemise fermée. On lui a demandé si j'étais son client et il a dit : « Oui, mais c'était aussi un ami »; ce qu'il pensait de moi et il a répondu que j'étais un homme; ce qu'il entendait par là et il a déclaré que tout le monde savait ce que cela voulait dire; s'il

avait remarqué que j'étais renfermé et il a
reconnu seulement que je ne parlais pas pour
ne rien dire. L'avocat général lui a demandé
si je payais régulièrement ma pension. Céleste
a ri et il a déclaré : « C'étaient des détails
entre nous. » On lui a demandé encore ce
qu'il pensait de mon crime. Il a mis alors ses
mains sur la barre et l'on voyait qu'il avait
préparé quelque chose. Il a dit : « Pour moi,
c'est un malheur. Un malheur, tout le monde
sait ce que c'est. Ça vous laisse sans défense.
Eh bien! pour moi c'est un malheur. » Il
allait continuer, mais le président lui a dit
que c'était bien et qu'on le remerciait. Alors
Céleste est resté un peu interdit. Mais il a
déclaré qu'il voulait encore parler. On lui a
demandé d'être bref. Il a encore répété que
c'était un malheur. Et le président lui a dit :
« Oui, c'est entendu. Mais nous sommes là
pour juger les malheurs de ce genre. Nous
vous remercions. » Comme s'il était arrivé au
bout de sa science et de sa bonne volonté,
Céleste s'est alors retourné vers moi. Il m'a
semblé que ses yeux brillaient et que ses
lèvres tremblaient. Il avait l'air de me deman-

der ce qu'il pouvait encore faire. Moi, je n'ai
rien dit, je n'ai fait aucun geste, mais c'est la
première fois de ma vie que j'ai eu envie
d'embrasser un homme. Le président lui a
encore enjoint de quitter la barre. Céleste est
allé s'asseoir dans le prétoire. Pendant tout
le reste de l'audience, il est resté là, un peu
penché en avant, les coudes sur les genoux,
le panama entre les mains, à écouter tout ce
qui se disait. Marie est entrée. Elle avait mis
un chapeau et elle était encore belle. Mais
je l'aimais mieux avec ses cheveux libres. De
l'endroit où j'étais, je devinais le poids léger
de ses seins et je reconnaissais sa lèvre infé-
rieure toujours un peu gonflée. Elle semblait
très nerveuse. Tout de suite, on lui a
demandé depuis quand elle me connaissait.
Elle a indiqué l'époque où elle travaillait
chez nous. Le président a voulu savoir quels
étaient ses rapports avec moi. Elle a dit
qu'elle était mon amie. A une autre question,
elle a répondu qu'il était vrai qu'elle devait
m'épouser. Le procureur qui feuilletait un
dossier lui a demandé brusquement de quand
datait notre liaison. Elle a indiqué la date.

Le procureur a remarqué d'un air indifférent qu'il lui semblait que c'était le lendemain de la mort de maman. Puis il a dit avec quelque ironie qu'il ne voudrait pas insister sur une situation délicate, qu'il comprenait bien les scrupules de Marie, mais (et ici son accent s'est fait plus dur) que son devoir lui commandait de s'élever au-dessus des convenances. Il a donc demandé à Marie de résumer cette journée où je l'avais connue. Marie ne voulait pas parler, mais devant l'insistance du procureur, elle a dit notre bain, notre sortie au cinéma et notre rentrée chez moi. L'avocat général a dit qu'à la suite des déclarations de Marie à l'instruction, il avait consulté les programmes de cette date. Il a ajouté que Marie elle-même dirait quel film on passait alors. D'une voix presque blanche, en effet, elle a indiqué que c'était un film de Fernandel. Le silence était complet dans la salle quand elle a eu fini. Le procureur s'est alors levé, très grave et d'une voix que j'ai trouvée vraiment émue, le doigt tendu vers moi, il a articulé lentement : « Messieurs les Jurés, le lendemain de la mort de sa mère, cet homme prenait des bains, commençait une liaison irrégulière, et allait rire devant un film comique. Je n'ai rien de plus à vous dire. » Il s'est assis, toujours dans le silence. Mais, tout d'un coup, Marie a éclaté en sanglots, a dit que ce n'était pas cela, qu'il y avait autre chose, qu'on la forçait à dire le contraire de ce qu'elle pensait, qu'elle me connaissait bien et que je n'avais rien fait de mal. Mais l'huissier, sur un signe du président, l'a emmenée et l'audience s'est poursuivie.

C'est à peine si, ensuite, on a écouté Masson qui a déclaré que j'étais un honnête homme « et qu'il dirait plus, j'étais un brave homme ». C'est à peine encore si on a écouté Salamano quand il a rappelé que j'avais été bon pour son chien et quand il a répondu à une question sur ma mère et sur moi en disant que je n'avais plus rien à dire à maman et que je l'avais mise pour cette raison à l'asile. « Il faut comprendre, disait Salamano, il faut comprendre. » Mais personne ne paraissait comprendre. On l'a emmené.

Puis est venu le tour de Raymond, qui était

le dernier témoin. Raymond m'a fait un petit
signe et a dit tout de suite que j'étais inno-
cent. Mais le président a déclaré qu'on ne lui
demandait pas des appréciations, mais des
faits. Il l'a invité à attendre des questions
pour répondre. On lui a fait préciser ses rela-
tions avec la victime. Raymond en a profité
pour dire que c'était lui que cette dernière
haïssait depuis qu'il avait giflé sa sœur. Le
président lui a demandé cependant si la victime n'avait pas de raison de me haïr. Raymond a dit que ma présence à la plage était
le résultat d'un hasard. Le procureur lui a
demandé alors comment il se faisait que la
lettre qui était à l'origine du drame avait été
écrite par moi. Raymond a répondu que
c'était un hasard. Le procureur a rétorqué
que le hasard avait déjà beaucoup de méfaits
sur la conscience dans cette histoire. Il a
voulu savoir si c'était par hasard que je n'étais
pas intervenu quand Raymond avait giflé sa
maîtresse, par hasard que j'avais servi de
témoin au commissariat, par hasard encore
que mes déclarations lors de ce témoignage
s'étaient révélées de pure complaisance. Pour

finir, il a demandé à Raymond quels étaient ses moyens d'existence, et comme ce dernier répondait : « Magasinier », l'avocat général a déclaré aux jurés que de notoriété générale le témoin exerçait le métier de souteneur. J'étais son complice et son ami. Il s'agissait d'un drame crapuleux de la plus basse espèce, aggravé du fait qu'on avait affaire à un monstre moral. Raymond a voulu se défendre et mon avocat a protesté, mais on leur a dit qu'il fallait laisser terminer le procureur. Celui-ci a dit : « J'ai peu de chose à ajouter. Etait-il votre ami? » a-t-il demandé à Raymond. « Oui, a dit celui-ci, c'était mon copain. » L'avocat général m'a posé alors la même question et j'ai regardé Raymond qui n'a pas détourné les yeux. J'ai répondu : « Oui. » Le procureur s'est alors retourné vers le jury et a déclaré : « Le même homme qui au lendemain de la mort de sa mère se livrait à la débauche la plus honteuse a tué pour des raisons futiles et pour liquider une affaire de mœurs inqualifiable. »

Il s'est assis alors. Mais mon avocat, à bout de patience, s'est écrié en levant les bras, de

sorte que ses manches en retombant ont
découvert les plis d'une chemise amidonnée :
« Enfin, est-il accusé d'avoir enterré sa mère
ou d'avoir tué un homme? » Le public a ri.
Mais le procureur s'est redressé encore, s'est
drapé dans sa robe et a déclaré qu'il fallait
avoir l'ingénuité de l'honorable défenseur
pour ne pas sentir qu'il y avait entre ces deux
ordres de faits une relation profonde, pathé-
tique, essentielle. « Oui, s'est-il écrié avec
force, j'accuse cet homme d'avoir enterré une
mère avec un cœur de criminel. » Cette décla-
ration a paru faire un effet considérable sur
le public. Mon avocat a haussé les épaules et
essuyé la sueur qui couvrait son front. Mais
lui-même paraissait ébranlé et j'ai compris
que les choses n'allaient pas bien pour moi.

L'audience a été levée. En sortant du palais
de justice pour monter dans la voiture, j'ai
reconnu un court instant l'odeur et la couleur du soir d'été. Dans l'obscurité de ma
prison roulante, j'ai retrouvé un à un, comme
du fond de ma fatigue, tous les bruits familiers d'une ville que j'aimais et d'une certaine
heure où il m'arrivait de me sentir content.

Le cri des vendeurs de journaux dans l'air déjà détendu, les derniers oiseaux dans le square, l'appel des marchands de sandwiches, la plainte des tramways dans les hauts tournants de la ville et cette rumeur du ciel avant que la nuit bascule sur le port, tout cela recomposait pour moi un itinéraire d'aveugle, que je connaissais bien avant d'entrer en prison. Oui, c'était l'heure où, il y avait bien longtemps, je me sentais content. Ce qui m'attendait alors, c'était toujours un sommeil léger et sans rêves. Et pourtant quelque chose était changé puisque, avec l'attente du lendemain, c'est ma cellule que j'ai retrouvée. Comme si les chemins familiers tracés dans les ciels d'été pouvaient mener aussi bien aux prisons qu'aux sommeils innocents.

IV

MÊME sur un banc d'accusé, il est toujours
intéressant d'entendre parler de soi. Pendant
les plaidoiries du procureur et de mon avocat, je peux dire qu'on a beaucoup parlé de
moi et peut-être plus de moi que de mon
crime. Etaient-elles si différentes, d'ailleurs,
ces plaidoiries? L'avocat levait les bras et
plaidait coupable, mais avec excuses. Le procureur tendait ses mains et dénonçait la cul-
pabilité, mais sans excuses. Une chose pourtant me gênait vaguement. Malgré mes préoc-
cupations, j'étais parfois tenté d'intervenir et
mon avocat me disait alors : « Taisez-vous,
cela vaut mieux pour votre affaire. » En
quelque sorte, on avait l'air de traiter cette
affaire en dehors de moi. Tout se déroulait

sans mon intervention. Mon sort se réglait sans qu'on prenne mon avis. De temps en temps, j'avais envie d'interrompre tout le monde et de dire : « Mais tout de même, qui est l'accusé? C'est important d'être l'accusé. Et j'ai quelque chose à dire. » Mais réflexion faite, je n'avais rien à dire. D'ailleurs, je dois reconnaître que l'intérêt qu'on trouve à occuper les gens ne dure pas longtemps. Par exemple, la plaidoirie du procureur m'a très vite lassé. Ce sont seulement des fragments, des gestes ou des tirades entières, mais détachées de l'ensemble, qui m'ont frappé ou ont éveillé mon intérêt.

Le fond de sa pensée, si j'ai bien compris, c'est que j'avais prémédité mon crime. Du moins, il a essayé de le démontrer. Comme il le disait lui-même : « J'en ferai la preuve, messieurs, et je la ferai doublement. Sous l'aveuglante clarté des faits d'abord et ensuite dans l'éclairage sombre que me fournira la psychologie de cette âme criminelle. » Il a résumé les faits à partir de la mort de maman. Il a rappelé mon insensibilité, l'ignorance où j'étais de l'âge de maman, mon bain du lendemain, avec une femme, le cinéma, Fernandel et enfin la rentrée avec Marie. J'ai mis du temps à le comprendre, à ce moment, parce qu'il disait « sa maîtresse » et pour moi, elle était Marie. Ensuite, il en est venu à l'histoire de Raymond. J'ai trouvé que sa façon de voir les événements ne manquait pas de clarté. Ce qu'il disait était plausible. J'avais écrit la lettre d'accord avec Raymond pour attirer sa maîtresse et la livrer aux mauvais traitements d'un homme « de moralité douteuse ». J'avais provoqué sur la plage les adversaires de Raymond. Celui-ci avait été blessé. Je lui avais demandé son revolver. J'étais revenu seul pour m'en servir. J'avais abattu l'Arabe comme je le projetais. J'avais attendu. Et « pour être sûr que la besogne était bien faite », j'avais tiré encore quatre balles, posément, à coup sûr, d'une façon réfléchie en quelque sorte.

« Et voilà, messieurs, a dit l'avocat général. J'ai retracé devant vous le fil d'événements qui a conduit cet homme à tuer en pleine connaissance de cause. J'insiste là-dessus, a-t-il dit. Car il ne s'agit pas d'un assassinat ordi-

naire, d'un acte irréfléchi que vous pourriez
estimer atténué par les circonstances. Cet
homme, messieurs, cet homme est intelligent.
Vous l'avez entendu, n'est-ce pas? Il sait
répondre. Il connaît la valeur des mots. Et
l'on ne peut pas dire qu'il a agi sans se rendre
compte de ce qu'il faisait. »

Moi j'écoutais et j'entendais qu'on me
jugeait intelligent. Mais je ne comprenais pas
bien comment les qualités d'un homme ordinaire pouvaient devenir des charges écra-
santes contre un coupable. Du moins, c'était
cela qui me frappait et je n'ai plus écouté
le procureur jusqu'au moment où je l'ai
entendu dire : « A-t-il seulement exprimé des
regrets? Jamais, messieurs. Pas une seule fois
au cours de l'instruction cet homme n'a paru
ému de son abominable forfait. » A ce
moment, il s'est tourné vers moi et m'a désigné du doigt en continuant à m'accabler sans
qu'en réalité je comprenne bien pourquoi.
Sans doute, je ne pouvais pas m'empêcher de
reconnaître qu'il avait raison. Je ne regrettais
pas beaucoup mon acte. Mais tant d'acharne-
ment m'étonnait. J'aurais voulu essayer de lui

expliquer cordialement, presque avec affec-
tion, que je n'avais jamais pu regretter vraiment quelque chose. J'étais toujours pris par
ce qui allait arriver, par aujourd'hui ou par
demain. Mais naturellement, dans l'état où
l'on m'avait mis, je ne pouvais parler à personne sur ce ton. Je n'avais pas le droit de
me montrer affectueux, d'avoir de la bonne
volonté. Et j'ai essayé d'écouter encore parce
que le procureur s'est mis à parler de mon
âme.

Il disait qu'il s'était penché sur elle et
qu'il n'avait rien trouvé, messieurs les Jurés.
Il disait qu'à la vérité, je n'en avais point,
d'âme, et que rien d'humain, et pas un des
principes moraux qui gardent le cœur des
hommes ne m'était accessible. « Sans doute,
ajoutait-il, nous ne saurions le lui reprocher.
Ce qu'il ne saurait acquérir, nous ne pou-
vons nous plaindre qu'il en manque. Mais
quand il s'agit de cette cour, la vertu toute
négative de la tolérance doit se muer en celle,
moins facile, mais plus élevée, de la justice.
Surtout lorsque le vide du cœur tel qu'on le
découvre chez cet homme devient un gouffre

où la société peut succomber. » C'est alors
qu'il a parlé de mon attitude envers maman.
Il a répété ce qu'il avait dit pendant les
débats. Mais il a été beaucoup plus long que
lorsqu'il parlait de mon crime, si long même
que, finalement, je n'ai plus senti que la chaleur de cette matinée. Jusqu'au moment, du
moins, où l'avocat général s'est arrêté et, après
un moment de silence, a repris d'une voix
très basse et très pénétrée : « Cette même
cour, messieurs, va juger demain le plus abominable des forfaits : le meurtre d'un père. »
Selon lui, l'imagination reculait devant cet
atroce attentat. Il osait espérer que la justice
des hommes punirait sans faiblesse. Mais, il
ne craignait pas de le dire, l'horreur que lui
inspirait ce crime le cédait presque à celle
qu'il ressentait devant mon insensibilité. Toujours selon lui, un homme qui tuait moralement sa mère se retranchait de la société des
hommes au même titre que celui qui portait
une main meurtrière sur l'auteur de ses jours.
Dans tous les cas, le premier préparait les
actes du second, il les annonçait en quelque
sorte et il les légitimait. « J'en suis persuadé,

messieurs, a-t-il ajouté en élevant la voix, vous
ne trouverez pas ma pensée trop audacieuse,
si je dis que l'homme qui est assis sur ce
banc est coupable aussi du meurtre que cette
cour devra juger demain. Il doit être puni
en conséquence. » Ici, le procureur a essuyé
son visage brillant de sueur. Il a dit enfin
que son devoir était douloureux, mais qu'il
l'accomplirait fermement. Il a déclaré que je
n'avais rien à faire avec une société dont je
méconnaissais les règles les plus essentielles
et que je ne pouvais pas en appeler à ce cœur
humain dont j'ignorais les réactions élémen-
taires. « Je vous demande la tête de cet
homme, a-t-il dit, et c'est le cœur léger que
je vous la demande. Car s'il m'est arrivé au
cours de ma déjà longue carrière de réclamer
des peines capitales, jamais autant qu'aujour-
d'hui, je n'ai senti ce pénible devoir
compensé, balancé, éclairé par la conscience
d'un commandement impérieux et sacré et
par l'horreur que je ressens devant un visage d'homme où je ne lis rien que de
monstrueux. »

Quand le procureur s'est rassis, il y a eu

un moment de silence assez long. Moi, j'étais étourdi de chaleur et d'étonnement. Le président a toussé un peu et sur un ton très bas, il m'a demandé si je n'avais rien à ajouter. Je me suis levé et comme j'avais envie de parler, j'ai dit, un peu au hasard d'ailleurs, que je n'avais pas eu l'intention de tuer l'Arabe. Le président a répondu que c'était une affirmation, que jusqu'ici il saisissait mal mon système de défense et qu'il serait heureux, avant d'entendre mon avocat, de me faire préciser les motifs qui avaient inspiré mon acte. J'ai dit rapidement, en mêlant un peu les mots et en me rendant compte de mon ridicule, que c'était à cause du soleil. Il y a eu des rires dans la salle. Mon avocat a haussé les épaules et tout de suite après, on lui a donné la parole. Mais il a déclaré qu'il était tard, qu'il en avait pour plusieurs heures et qu'il demandait le renvoi à l'après-midi. La cour y a consenti.

L'après-midi, les grands ventilateurs brassaient toujours l'air épais de la salle, et les petits éventails multicolores des jurés s'agitaient tous dans le même sens. La plaidoi-

rie de mon avocat me semblait ne devoir
jamais finir. A un moment donné, cependant,
je l'ai écouté parce qu'il disait : « Il est vrai
que j'ai tué. » Puis il a continué sur ce ton,
disant « je » chaque fois qu'il parlait de moi.
J'étais très étonné. Je me suis penché vers un
gendarme et je lui ai demandé pourquoi. Il
m'a dit de me taire et, après un moment, il
a ajouté : « Tous les avocats font ça. » Moi,
j'ai pensé que c'était m'écarter encore de
l'affaire, me réduire à zéro et, en un certain
sens, se substituer à moi. Mais je crois que
j'étais déjà très loin de cette salle d'audience.
D'ailleurs, mon avocat m'a semblé ridicule. Il
a plaidé la provocation très rapidement et
puis lui aussi a parlé de mon âme. Mais il
m'a paru qu'il avait beaucoup moins de
talent que le procureur. « Moi aussi, a-t-il dit,
je me suis penché sur cette âme, mais,
contrairement à l'éminent représentant du
ministère public, j'ai trouvé quelque chose et
je puis dire que j'y ai lu à livre ouvert. » Il
y avait lu que j'étais un honnête homme, un
travailleur régulier, infatigable, fidèle à la
maison qui l'employait, aimé de tous et

compatissant aux misères d'autrui. Pour lui,
j'étais un fils modèle qui avait soutenu sa
mère aussi longtemps qu'il l'avait pu. Finalement j'avais espéré qu'une maison de retraite donnerait à la vieille femme le
confort que mes moyens ne me permettaient
pas de lui procurer. « Je m'étonne, messieurs, a-t-il ajouté, qu'on ait mené si grand
bruit autour de cet asile. Car enfin, s'il fallait donner une preuve de l'utilité et de la
grandeur de ces institutions, il faudrait bien
dire que c'est l'Etat lui-même qui les subven-
tionne. » Seulement, il n'a pas parlé de l'enterrement et j'ai senti que cela manquait
dans sa plaidoirie. Mais à cause de toutes ces
longues phrases, de toutes ces journées et ces
heures interminables pendant lesquelles on
avait parlé de mon âme, j'ai eu l'impression
que tout devenait comme une eau incolore
où je trouvais le vertige.

A la fin, je me souviens seulement que,
de la rue et à travers tout l'espace des salles
et des prétoires, pendant que mon avocat
continuait à parler, la trompette d'un marchand de glace a résonné jusqu'à moi. J'ai

été assailli des souvenirs d'une vie qui ne m'appartenait plus, mais où j'avais trouvé les plus pauvres et les plus tenaces de mes joies : des odeurs d'été, le quartier que j'aimais, un certain ciel du soir, le rire et les robes de Marie. Tout ce que je faisais d'inutile en ce lieu m'est alors remonté à la gorge et je n'ai eu qu'une hâte, c'est qu'on en finisse et que je retrouve ma cellule avec le sommeil. C'est à peine si j'ai entendu mon avocat s'écrier, pour finir, que les jurés ne voudraient pas envoyer à la mort un travailleur honnête perdu par une minute d'égarement, et demander les circonstances atténuantes pour un crime dont je traînais déjà, comme le plus sûr de mes châtiments, le remords éternel. La cour a suspendu l'audience et l'avocat s'est assis d'un air épuisé. Mais ses collègues sont venus vers lui pour lui serrer la main. J'ai entendu : « Magnifique, mon cher. » L'un d'eux m'a même pris à témoin : « Hein? » m'a-t-il dit. J'ai acquiescé, mais mon compliment n'était pas sincère, parce que j'étais trop fatigué.

Pourtant, l'heure déclinait au-dehors et la

chaleur était moins forte. Aux quelques
bruits de rue que j'entendais, je devinais la
douceur du soir. Nous étions là, tous, à
attendre. Et ce qu'ensemble nous attendions
ne concernait que moi. J'ai encore regardé
la salle. Tout était dans le même état que
le premier jour. J'ai rencontré le regard du
journaliste à la veste grise et de la femme
automate. Cela m'a donné à penser que je
n'avais pas cherché Marie du regard pendant
tout le procès. Je ne l'avais pas oubliée,
mais j'avais trop à faire. Je l'ai vue entre
Céleste et Raymond. Elle m'a fait un petit
signe comme si elle disait : « Enfin », et j'ai
vu son visage un peu anxieux qui souriait.
Mais je sentais mon cœur fermé et je n'ai
même pas pu répondre à son sourire.

La cour est revenue. Très vite, on a lu aux
jurés une série de questions. J'ai entendu
« coupable de meurtre »... « prémédita-
tion »... « circonstances atténuantes ». Les
jurés sont sortis et l'on m'a emmené dans la
petite pièce où j'avais déjà attendu. Mon
avocat est venu me rejoindre : il était très
volubile et m'a parlé avec plus de confiance

et de cordialité qu'il ne l'avait jamais fait. Il
pensait que tout irait bien et que je m'en
tirerais avec quelques années de prison ou de
bagne. Je lui ai demandé s'il y avait des
chances de cassation en cas de jugement défa-
vorable. Il m'a dit que non. Sa tactique avait
été de ne pas déposer de conclusions pour ne
pas indisposer le jury. Il m'a expliqué qu'on
ne cassait pas un jugement, comme cela, pour
rien. Cela m'a paru évident et je me suis
rendu à ses raisons. A considérer froidement
la chose, c'était tout à fait naturel. Dans le
cas contraire, il y aurait trop de paperasses
inutiles. « De toute façon, m'a dit mon avo-
vat, il y a le pourvoi. Mais je suis persuadé
que l'issue sera favorable. »

Nous avons attendu très longtemps, près
de trois quarts d'heure, je crois. Au bout de
ce temps, une sonnerie a retenti. Mon avocat
m'a quitté en disant : « Le président du jury
va lire les réponses. On ne vous fera entrer
que pour l'énoncé du jugement. » Des portes
ont claqué. Des gens couraient dans des esca-
liers dont je ne savais pas s'ils étaient proches
ou éloignés. Puis j'ai entendu une voix

sourde lire quelque chose dans la salle.
Quand la sonnerie a encore retenti, que la
porte du box s'est ouverte, c'est le silence de
la salle qui est monté vers moi, le silence, et
cette singulière sensation que j'ai eue lorsque
j'ai constaté que le jeune journaliste avait
détourné ses yeux. Je n'ai pas regardé du côté
de Marie. Je n'en ai pas eu le temps parce
que le président m'a dit dans une forme
bizarre que j'aurais la tête tranchée sur une
place publique au nom du peuple français.
Il m'a semblé alors reconnaître le sentiment
que je lisais sur tous les visages. Je crois
bien que c'était de la considération. Les gendarmes étaient très doux avec moi. L'avocat
a posé sa main sur mon poignet. Je ne pensais plus à rien. Mais le président m'a
demandé si je n'avais rien à ajouter. J'ai
réfléchi. J'ai dit : « Non. » C'est alors qu'on
m'a emmené.

V

POUR la troisième fois, j'ai refusé de recevoir l'aumônier. Je n'ai rien à lui dire, je n'ai pas envie de parler, je le verrai bien assez tôt. Ce qui m'intéresse en ce moment, c'est d'échapper à la mécanique, de savoir si l'inévitable peut avoir une issue. On m'a changé de cellule. De celle-ci, lorsque je suis allongé, je vois le ciel et je ne vois que lui. Toutes mes journées se passent à regarder sur son visage le déclin des couleurs qui conduit le jour à la nuit. Couché, je passe les mains sous ma tête et j'attends. Je ne sais combien de fois je me suis demandé s'il y avait des exemples de condamnés à mort qui eussent échappé au mécanisme implacable, disparu avant l'exécution, rompu les cordons d'agents. Je me reprochais alors de n'avoir pas prêté assez d'attention aux récits d'exécution. On

devrait toujours s'intéresser à ces questions.
On ne sait jamais ce qui peut arriver.
Comme tout le monde, j'avais lu des comptes
rendus dans les journaux. Mais il y avait certainement des ouvrages spéciaux que je
n'avais jamais eu la curiosité de consulter.
Là, peut-être, j'aurais trouvé des récits d'évasion. J'aurais appris que dans un cas au moins
la roue s'était arrêtée, que dans cette prémé-
ditation irrésistible, le hasard et la chance,
une fois seulement, avaient changé quelque
chose. Une fois! Dans un sens, je crois que cela
m'aurait suffi. Mon cœur aurait fait le reste.
Les journaux parlaient souvent d'une dette
qui était due à la société. Il fallait, selon eux,
la payer. Mais cela ne parle pas à l'imagination. Ce qui comptait, c'était une possibilité
d'évasion, un saut hors du rite implacable,
une course à la folie qui offrît toutes les
chances de l'espoir. Naturellement, l'espoir,
c'était d'être abattu au coin d'une rue, en
pleine course, et d'une balle à la volée. Mais
tout bien considéré, rien ne me permettait
ce luxe, tout me l'interdisait, la mécanique
me reprenait.

Malgré ma bonne volonté, je ne pouvais pas accepter cette certitude insolente. Car enfin, il y avait une disproportion ridicule entre le jugement qui l'avait fondée et son déroulement imperturbable à partir du moment où ce jugement avait été prononcé. Le fait que la sentence avait été lue à vingt heures plutôt qu'à dix-sept, le fait qu'elle aurait pu être tout autre, qu'elle avait été prise par des hommes qui changent de linge, qu'elle avait été portée au crédit d'une notion aussi imprécise que le peuple français (ou allemand, ou chinois), il me semblait bien que tout cela enlevait beaucoup de sérieux à une telle décision. Pourtant, j'étais obligé de reconnaître que dès la seconde où elle avait été prise, ses effets devenaient aussi certains, aussi sérieux, que la présence de ce mur tout le long duquel j'écrasais mon corps.

Je me suis souvenu dans ces moments d'une histoire que maman me racontait à propos de mon père. Je ne l'avais pas connu. Tout ce que je connaissais de précis sur cet homme, c'était peut-être ce que m'en disait alors maman : il était allé voir exécuter un

assassin. Il était malade à l'idée d'y aller. Il
l'avait fait cependant et au retour il avait
vomi une partie de la matinée. Mon père me
dégoûtait un peu alors. Maintenant je
comprenais, c'était si naturel. Comment
n'avais-je pas vu que rien n'était plus important qu'une exécution capitale et que, en
somme, c'était la seule chose vraiment inté-
ressante pour un homme! Si jamais je sortais
de cette prison, j'irais voir toutes les exécu-
tions capitales. J'avais tort, je crois, de penser à cette possibilité. Car à l'idée de me voir
libre par un petit matin derrière un cordon
d'agents, de l'autre côté en quelque sorte, à
l'idée d'être le spectateur qui vient voir et
qui pourra vomir après, un flot de joie em-
poisonnée me montait au cœur. Mais ce
n'était pas raisonnable. J'avais tort de me
laisser aller à ces suppositions parce que,
l'instant d'après, j'avais si affreusement froid
que je me recroquevillais sous ma couver-
ture. Je claquais des dents sans pouvoir me
retenir.

Mais, naturellement, on ne peut pas être
toujours raisonnable. D'autres fois, par

exemple, je faisais des projets de loi. Je
réformais les pénalités. J'avais remarqué que
l'essentiel était de donner une chance au
condamné. Une seule sur mille, cela suffisait
pour arranger bien des choses. Ainsi, il me
semblait qu'on pouvait trouver une combinaison chimique dont l'absorption tuerait le
patient (je pensais : le patient) neuf fois sur
dix. Lui le saurait, c'était la condition. Car
en réfléchissant bien, en considérant les
choses avec calme, je constatais que ce qui
était défectueux avec le couperet, c'est qu'il
n'y avait aucune chance, absolument aucune.
Une fois pour toutes, en somme, la mort du
patient avait été décidée. C'était une affaire
classée, une combinaison bien arrêtée, un
accord entendu et sur lequel il n'était pas
question de revenir. Si le coup ratait, par
extraordinaire, on recommençait. Par suite,
ce qu'il y avait d'ennuyeux, c'est qu'il fallait
que le condamné souhaitât le bon fonctionne-
ment de la machine. Je dis que c'est le côté
défectueux. Cela est vrai, dans un sens. Mais,
dans un autre sens, j'étais obligé de reconnaître que tout le secret d'une bonne orga-

nisation était là. En somme, le condamné
était obligé de collaborer moralement. C'était
son intérêt que tout marchât sans accroc.

J'étais obligé de constater aussi que
jusqu'ici j'avais eu sur ces questions des
idées qui n'étaient pas justes. J'ai cru longtemps — et je ne sais pas pourquoi — que
pour aller à la guillotine, il fallait monter
sur un échafaud, gravir des marches. Je crois
que c'était à cause de la Révolution de 1789,
je veux dire à cause de tout ce qu'on m'avait
appris ou fait voir sur ces questions. Mais
un matin, je me suis souvenu d'une photo-
graphie publiée par les journaux à l'occasion d'une exécution retentissante. En réalité, la machine était posée à même le sol,
le plus simplement du monde. Elle était
beaucoup plus étroite que je ne le pensais.
C'était assez drôle que je ne m'en fusse pas
avisé plus tôt. Cette machine sur le cliché
m'avait frappé par son aspect d'ouvrage de
précision, fini et étincelant. On se fait toujours des idées exagérées de ce qu'on ne
connaît pas. Je devais constater au contraire
que tout était simple : la machine est au

même niveau que l'homme qui marche vers elle. Il la rejoint comme on marche à la rencontre d'une personne. Cela aussi était ennuyeux. La montée vers l'échafaud, l'ascension en plein ciel, l'imagination pouvait s'y raccrocher. Tandis que, là encore, la mécanique écrasait tout : on était tué discrètement, avec un peu de honte et beaucoup de précision.

Il y avait aussi deux choses à quoi je réfléchissais tout le temps : l'aube et mon pourvoi. Je me raisonnais cependant et j'essayais de n'y plus penser. Je m'étendais, je regardais le ciel, je m'efforçais de m'y intéresser. Il devenait vert, c'était le soir. Je faisais encore un effort pour détourner le cours de mes pensées. J'écoutais mon cœur. Je ne pouvais imaginer que ce bruit qui m'accompagnait depuis si longtemps pût jamais cesser. Je n'ai jamais eu de véritable imagination. J'essayais pourtant de me représenter une certaine seconde où le battement de ce cœur ne se prolongerait plus dans ma tête. Mais en vain. L'aube ou mon pourvoi étaient là. Je finissais par me dire que le plus raisonnable était de ne pas me contraindre.

C'est à l'aube qu'ils venaient, je le savais.
En somme, j'ai occupé mes nuits à attendre
cette aube. Je n'ai jamais aimé être surpris.
Quand il m'arrive quelque chose, je préfère
être là. C'est pourquoi j'ai fini par ne plus
dormir qu'un peu dans mes journées et, tout
le long de mes nuits, j'ai attendu patiemment
que la lumière naisse sur la vitre du ciel. Le
plus difficile, c'était l'heure douteuse où je
savais qu'ils opéraient d'habitude. Passé mi-
nuit, j'attendais et je guettais. Jamais mon
oreille n'avait perçu tant de bruits, distingué de sons si ténus. Je peux dire, d'ailleurs,
que d'une certaine façon j'ai eu de la chance
pendant toute cette période, puisque je n'ai
jamais entendu de pas. Maman disait souvent
qu'on n'est jamais tout à fait malheureux.
Je l'approuvais dans ma prison, quand le ciel
se colorait et qu'un nouveau jour glissait
dans ma cellule. Parce qu'aussi bien, j'aurais
pu entendre des pas et mon cœur aurait pu
éclater. Même si le moindre glissement me
jetait à la porte, même si, l'oreille collée au
bois, j'attendais éperdument jusqu'à ce que

j'entende ma propre respiration, effrayé de
la trouver rauque et si pareille au râle d'un
chien, au bout du compte mon cœur n'écla-
tait pas et j'avais encore gagné vingt-quatre
heures.

Pendant tout le jour, il y avait mon pourvoi. Je crois que j'ai tiré le meilleur parti
de cette idée. Je calculais mes effets et
j'obtenais de mes réflexions le meilleur ren-
dement. Je prenais toujours la plus mauvaise
supposition : mon pourvoi était rejeté. « Eh
bien, je mourrai donc. » Plus tôt que
d'autres, c'était évident. Mais tout le monde
sait que la vie ne vaut pas la peine d'être
vécue. Dans le fond, je n'ignorais pas que
mourir à trente ans ou à soixante-dix ans
importe peu puisque, naturellement, dans
les deux cas, d'autres hommes et d'autres
femmes vivront, et cela pendant des milliers
d'années. Rien n'était plus clair, en somme.
C'était toujours moi qui mourrais, que ce
soit maintenant ou dans vingt ans. A ce moment, ce qui me gênait un peu dans mon
raisonnement, c'était ce bond terrible que je
sentais en moi à la pensée de vingt ans de

vie à venir. Mais je n'avais qu'à l'étouffer en imaginant ce que seraient mes pensées dans vingt ans quand il me faudrait quand même en venir là. Du moment qu'on meurt, comment et quand, cela n'importe pas, c'était évident. Donc (et le difficile c'était de ne pas perdre de vue tout ce que ce « donc » représentait de raisonnements), donc, je devais accepter le rejet de mon pourvoi.

A ce moment, à ce moment seulement, j'avais pour ainsi dire le droit, je me donnais en quelque sorte la permission d'aborder la deuxième hypothèse : j'étais gracié. L'ennuyeux, c'est qu'il fallait rendre moins fougueux cet élan du sang et du corps qui me piquait les yeux d'une joie insensée. Il fallait que je m'applique à réduire ce cri, à le raisonner. Il fallait que je sois naturel même dans cette hypothèse, pour rendre plus plausible ma résignation dans la première. Quand j'avais réussi, j'avais gagné une heure de calme. Cela, tout de même, était à considérer.

C'est à un semblable moment que j'ai refusé une fois de plus de recevoir l'aumô-

nier. J'étais étendu et je devinais l'approche
du soir d'été à une certaine blondeur du ciel.
Je venais de rejeter mon pourvoi et je pouvais sentir les ondes de mon sang circuler
régulièrement en moi. Je n'avais pas besoin
de voir l'aumônier. Pour la première fois depuis bien longtemps, j'ai pensé à Marie. Il y
avait de longs jours qu'elle ne m'écrivait
plus. Ce soir-là, j'ai réfléchi et je me suis dit
qu'elle s'était peut-être fatiguée d'être la maîtresse d'un condamné à mort. L'idée m'est
venue aussi qu'elle était peut-être malade ou
morte. C'était dans l'ordre des choses.
Comment l'aurais-je su puisqu'en dehors de
nos deux corps maintenant séparés, rien ne
nous liait et ne nous rappelait l'un à l'autre.
A partir de ce moment, d'ailleurs, le souvenir de Marie m'aurait été indifférent. Morte,
elle ne m'intéressait plus. Je trouvais cela
normal comme je comprenais très bien que
les gens m'oublient après ma mort. Ils
n'avaient plus rien à faire avec moi. Je ne
pouvais même pas dire que cela était dur à
penser.

C'est à ce moment précis que l'aumônier

est entré. Quand je l'ai vu, j'ai eu un petit tremblement. Il s'en est aperçu et m'a dit de ne pas avoir peur. Je lui ai dit qu'il venait d'habitude à un autre moment. Il m'a répondu que c'était une visite tout amicale qui n'avait rien à voir avec mon pourvoi dont il ne savait rien. Il s'est assis sur ma couchette et m'a invité à me mettre près de lui. J'ai refusé. Je lui trouvais tout de même un air très doux.

Il est resté un moment assis, les avant-bras sur les genoux, la tête baissée, à regarder ses mains. Elles étaient fines et musclées, elles me faisaient penser à deux bêtes agiles. Il les a frottées lentement l'une contre l'autre. Puis il est resté ainsi, la tête toujours baissée, pendant si longtemps que j'ai eu l'impression, un instant, que je l'avais oublié.

Mais il a relevé brusquement la tête et m'a regardé en face : « Pourquoi, m'a-t-il dit, refusez-vous mes visites? » J'ai répondu que je ne croyais pas en Dieu. Il a voulu savoir si j'en étais bien sûr et j'ai dit que je n'avais pas à me le demander : cela me paraissait une question sans importance. Il s'est alors ren-

versé en arrière et s'est adossé au mur, les
mains à plat sur les cuisses. Presque sans
avoir l'air de me parler, il a observé qu'on
se croyait sûr, quelquefois, et, en réalité, on
ne l'était pas. Je ne disais rien. Il m'a regardé
et m'a interrogé : « Qu'en pensez-vous? »
J'ai répondu que c'était possible. En tout cas,
je n'étais peut-être pas sûr de ce qui m'intéressait réellement, mais j'étais tout à fait sûr
de ce qui ne m'intéressait pas. Et justement,
ce dont il me parlait ne m'intéressait pas.

Il a détourné les yeux et, toujours sans
changer de position, m'a demandé si je ne
parlais pas ainsi par excès de désespoir. Je
lui ai expliqué que je n'étais pas désespéré.
J'avais seulement peur, c'était bien naturel.
« Dieu vous aiderait alors, a-t-il remarqué.
Tous ceux que j'ai connus dans votre cas
se retournaient vers lui. » J'ai reconnu que
c'était leur droit. Cela prouvait aussi qu'ils
en avaient le temps. Quant à moi, je ne voulais pas qu'on m'aidât et justement le temps
me manquait pour m'intéresser à ce qui ne
m'intéressait pas.

A ce moment, ses mains ont eu un geste

d'agacement, mais il s'est redressé et a
arrangé les plis de sa robe. Quand il a eu
fini, il s'est adressé à moi en m'appelant
« mon ami » : s'il me parlait ainsi ce n'était
pas parce que j'étais condamné à mort; à son
avis, nous étions tous condamnés à mort.
Mais je l'ai interrompu en lui disant que ce
n'était pas la même chose et que, d'ailleurs,
ce ne pouvait être, en aucun cas, une conso-
lation. « Certes, a-t-il approuvé. Mais vous
mourrez plus tard si vous ne mourez pas
aujourd'hui. La même question se posera
alors. Comment aborderez-vous cette terrible
épreuve? » J'ai répondu que je l'aborderais
exactement comme je l'abordais en ce moment.

Il s'est levé à ce mot et m'a regardé droit
dans les yeux. C'est un jeu que je connaissais bien. Je m'en amusais souvent avec
Emmanuel ou Céleste et, en général, ils
détournaient leurs yeux. L'aumônier aussi
connaissait bien ce jeu, je l'ai tout de suite
compris : son regard ne tremblait pas. Et sa
voix non plus n'a pas tremblé quand il m'a
dit : « N'avez-vous donc aucun espoir et

vivez-vous avec la pensée que vous allez mourir tout entier? — Oui », ai-je répondu.

Alors, il a baissé la tête et s'est rassis. Il
m'a dit qu'il me plaignait. Il jugeait cela
impossible à supporter pour un homme. Moi,
j'ai seulement senti qu'il commençait à
m'ennuyer. Je me suis détourné à mon tour
et je suis allé sous la lucarne. Je m'appuyais
de l'épaule contre le mur. Sans bien le suivre,
j'ai entendu qu'il recommençait à m'interroger. Il parlait d'une voix inquiète et pres-
sante. J'ai compris qu'il était ému et je l'ai
mieux écouté.

Il me disait sa certitude que mon pourvoi
serait accepté, mais je portais le poids d'un
péché dont il fallait me débarrasser. Selon
lui, la justice des hommes n'était rien et la
justice de Dieu tout. J'ai remarqué que
c'était la première qui m'avait condamné. Il
m'a répondu qu'elle n'avait pas, pour autant,
lavé mon péché. Je lui ai dit que je ne savais
pas ce qu'était un péché. On m'avait seulement appris que j'étais un coupable. J'étais
coupable, je payais, on ne pouvait rien me
demander de plus. A ce moment, il s'est levé

à nouveau et j'ai pensé que dans cette cellule si étroite, s'il voulait remuer, il n'avait pas le choix. Il fallait s'asseoir ou se lever.

J'avais les yeux fixés au sol. Il a fait un pas vers moi et s'est arrêté, comme s'il n'osait avancer. Il regardait le ciel à travers les barreaux. « Vous vous trompez, mon fils, m'a-t-il dit, on pourrait vous demander plus. On vous le demandera peut-être. — Et quoi donc? — On pourrait vous demander de voir. — Voir quoi? »

Le prêtre a regardé tout autour de lui et il a répondu d'une voix que j'ai trouvée soudain très lasse : « Toutes ces pierres suent la douleur, je le sais. Je ne les ai jamais regardées sans angoisse. Mais, du fond du cœur, je sais que les plus misérables d'entre vous ont vu sortir de leur obscurité un visage divin. C'est ce visage qu'on vous demande de voir. »

Je me suis un peu animé. J'ai dit qu'il y avait des mois que je regardais ces murailles. Il n'y avait rien ni personne que je connusse mieux au monde. Peut-être, il y a bien longtemps, y avais-je cherché un visage. Mais ce

visage avait la couleur du soleil et la flamme
du désir : c'était celui de Marie. Je l'avais
cherché en vain. Maintenant, c'était fini. Et
dans tous les cas, je n'avais rien vu surgir
de cette sueur de pierre.

L'aumônier m'a regardé avec une sorte de
tristesse. J'étais maintenant complètement
adossé à la muraille et le jour me coulait sur
le front. Il a dit quelques mots que je n'ai
pas entendus et m'a demandé très vite si je
lui permettais de m'embrasser : « Non », ai-je
répondu. Il s'est retourné et a marché vers
le mur sur lequel il a passé sa main lentement : « Aimez-vous donc cette terre à ce
point ? » a-t-il murmuré. Je n'ai rien répondu.

Il est resté assez longtemps détourné. Sa
présence me pesait et m'agaçait. J'allais lui
dire de partir, de me laisser, quand il s'est
écrié tout d'un coup avec une sorte d'éclat,
en se retournant vers moi : « Non, je ne
peux pas vous croire. Je suis sûr qu'il vous
est arrivé de souhaiter une autre vie. » Je
lui ai répondu que naturellement, mais cela
n'avait pas plus d'importance que de souhaiter d'être riche, de nager très vite ou d'avoir

une bouche mieux faite. C'était du même
ordre. Mais lui m'a arrêté et il voulait savoir
comment je voyais cette autre vie. Alors, je
lui ai crié : « Une vie où je pourrais me
souvenir de celle-ci », et aussitôt je lui ai dit
que j'en avais assez. Il voulait encore me parler de Dieu, mais je me suis avancé vers lui
et j'ai tenté de lui expliquer une dernière
fois qu'il me restait peu de temps. Je ne voulais pas le perdre avec Dieu. Il a essayé de
changer de sujet en me demandant pourquoi
je l'appelais « monsieur » et non pas « mon
père ». Cela m'a énervé et je lui ai répondu
qu'il n'était pas mon père : il était avec les
autres.

« Non, mon fils, a-t-il dit en mettant la
main sur mon épaule. Je suis avec vous.
Mais vous ne pouvez pas le savoir parce que
vous avez un cœur aveugle. Je prierai pour
vous. »

Alors, je ne sais pas pourquoi, il y a
quelque chose qui a crevé en moi. Je me
suis mis à crier à plein gosier et je l'ai insulté
et je lui ai dit de ne pas prier. Je l'avais
pris par le collet de sa soutane. Je déversais

sur lui tout le fond de mon cœur avec des
bondissements mêlés de joie et de colère.
Il avait l'air si certain, n'est-ce pas? Pourtant, aucune de ses certitudes ne valait
un cheveu de femme. Il n'était même pas
sûr d'être en vie puisqu'il vivait comme un
mort. Moi, j'avais l'air d'avoir les mains
vides. Mais j'étais sûr de moi, sûr de tout,
plus sûr que lui, sûr de ma vie et de cette
mort qui allait venir. Oui, je n'avais que
cela. Mais du moins, je tenais cette vérité
autant qu'elle me tenait. J'avais eu raison,
j'avais encore raison, j'avais toujours raison.
J'avais vécu de telle façon et j'aurais pu
vivre de telle autre. J'avais fait ceci et je
n'avais pas fait cela. Je n'avais pas fait telle
chose alors que j'avais fait cette autre. Et
après? C'était comme si j'avais attendu pendant tout le temps cette minute et cette petite
aube où je serais justifié. Rien, rien n'avait
d'importance et je savais bien pourquoi. Lui
aussi savait pourquoi. Du fond de mon avenir, pendant toute cette vie absurde que
j'avais menée, un souffle obscur remontait
vers moi à travers des années qui n'étaient

pas encore venues et ce souffle égalisait sur
son passage tout ce qu'on me proposait alors
dans les années pas plus réelles que je vivais.
Que m'importaient la mort des autres,
l'amour d'une mère, que m'importaient son
Dieu, les vies qu'on choisit, les destins
qu'on élit, puisqu'un seul destin devait
m'élire moi-même et avec moi des milliards
de privilégiés qui, comme lui, se disaient
mes frères. Comprenait-il, comprenait-il
donc? Tout le monde était privilégié. Il n'y
avait que des privilégiés. Les autres aussi, on
les condamnerait un jour. Lui aussi, on le
condamnerait. Qu'importait si, accusé de
meurtre, il était exécuté pour n'avoir pas
pleuré à l'enterrement de sa mère? Le chien
de Salamano valait autant que sa femme. La
petite femme automatique était aussi coupable que la Parisienne que Masson avait
épousée ou que Marie qui avait envie que je
l'épouse. Qu'importait que Raymond fût
mon copain autant que Céleste qui valait
mieux que lui? Qu'importait que Marie don-
nât aujourd'hui sa bouche à un nouveau
Meursault? Comprenait-il donc, ce condamné

et que du fond de mon avenir... J'étouffais en
criant tout ceci. Mais, déjà, on m'arrachait
l'aumônier des mains et les gardiens me me-
naçaient. Lui, cependant, les a calmés et m'a
regardé un moment en silence. Il avait les
yeux pleins de larmes. Il s'est détourné et il
a disparu.

Lui parti, j'ai retrouvé le calme. J'étais
épuisé et je me suis jeté sur ma couchette.
Je crois que j'ai dormi parce que je me suis
réveillé avec des étoiles sur le visage. Des
bruits de campagne montaient jusqu'à moi.
Des odeurs de nuit, de terre et de sel rafraî-
chissaient mes tempes. La merveilleuse paix
de cet été endormi entrait en moi comme
une marée. A ce moment, et à la limite de
la nuit, des sirènes ont hurlé. Elles annon-
çaient des départs pour un monde qui maintenant m'était à jamais indifférent. Pour la
première fois depuis bien longtemps, j'ai
pensé à maman. Il m'a semblé que je comprenais pourquoi à la fin d'une vie elle avait
pris un « fiancé », pourquoi elle avait joué à
recommencer. Là-bas, là-bas aussi, autour de
cet asile où des vies s'éteignaient, le soir était

comme une trêve mélancolique. Si près de la
mort, maman devait s'y sentir libérée et prête
à tout revivre. Personne, personne n'avait le
droit de pleurer sur elle. Et moi aussi, je me
suis senti prêt à tout revivre. Comme si cette
grande colère m'avait purgé du mal, vidé
d'espoir, devant cette nuit chargée de signes
et d'étoiles, je m'ouvrais pour la première
fois à la tendre indifférence du monde. De
l'éprouver si pareil à moi, si fraternel enfin,
j'ai senti que j'avais été heureux, et que je
l'étais encore. Pour que tout soit consommé,
pour que je me sente moins seul, il me restait
à souhaiter qu'il y ait beaucoup de spectateurs le jour de mon exécution et qu'ils
m'accueillent avec des cris de haine.

IMPRIMÉ EN FRANCE PAR BRODARD ET TAUPIN
6, place d'Alleray - Paris.
Usine de La Flèche, le 01-10-1971.
6028-5 - Dépôt légal n° 987, 4ᵉ trimestre 1971.
1ᵉʳ Dépôt : 1ᵉʳ trimestre 1959.
LE LIVRE DE POCHE - 22, avenue Pierre 1ᵉʳ de Serbie - Paris.
30 - 11 - 0406 - 35

Le Livre de Poche classique

des textes intégraux et fidèles

Conçues pour le grand public comme pour l'étudiant et le lettré, nos éditions sont établies par les spécialistes les plus qualifiés et font état des derniers travaux de la critique. C'est donc un texte sûr que nous vous offrons, tantôt dans une leçon originale, tantôt reprise des collections les plus prestigieuses : la Pléiade, ou Guillaume Budé.

à la portée de tous

Nos éditions sont enrichies d'une préface originale d'un écrivain célèbre, de notices, de notes et d'une biographie de l'auteur.

Le Livre de Poche classique relié

des textes intégraux et fidèles

Conçues pour le grand public comme pour l'étudiant et le lettré, nos éditions sont établies par les spécialistes les plus qualifiés et font état des derniers travaux de la critique. C'est donc un texte sûr que nous vous offrons, tantôt dans une leçon originale, tantôt reprise des collections les plus prestigieuses : la Pléiade, ou Guillaume Budé.

à la portée de tous

Nos éditions sont enrichies d'une préface originale d'un écrivain célèbre, de notices, de notes et d'une biographie de l'auteur.

dans une reliure élégante et robuste

Tiré sur papier de qualité, chaque ouvrage est relié en pleine toile rouge avec titres à l'or et présenté sous jaquette rodhoïd.

Le Livre de Poche policier

Le Livre de Poche historique
(Histoire, biographies)

Encyclopédie Larousse
de poche

C'est la présentation des grands sujets dont le XXe siècle a profondément modifié la connaissance ou l'évolution et sur lesquels l'actualité scientifique ou culturelle retient l'attention et la curiosité du public.
Cette nouvelle série fait la somme des dernières connaissances acquises, dans une présentation accessible à tous. Les meilleurs spécialistes s'emploient à faire découvrir les grandes réalités scientifiques et humaines.

Histoire universelle Larousse
de poche

De la haute Antiquité à l'époque contemporaine, à travers les cinq continents, l'Histoire universelle Larousse de poche fait revivre, en douze volumes, toute l'aventure humaine. Cependant chaque volume forme un tout complet et permet une vision globale d'une période déterminée.
L'illustration, très abondante, vient à l'appui du texte.

DEJA PARUS :